Le livre d'Ofans Sakre

Hervé Carpentier

Le livre d'Ofans Sakre

Roman

LE LYS BLEU
ÉDITIONS

© Lys Bleu Éditions – Hervé Carpentier

ISBN : 979-10-377-7874-1

Des dizaines de saules disséminés autour des étangs donnaient un côté mystérieux à l'endroit. La lumière traversait péniblement les arbres par quelques hasardeux passages à travers les feuillages rendant les bayous sombres et humides. La plupart des gens sains d'esprit évitaient de s'y égarer. L'humidité et la chaleur des après-midi étaient intenables, les matins dangereux, le brouillard salé était le pire des prédateurs de la région, incitant les inconscients à mettre les pieds dans les tourbières, sables mouvants sans parler des rencontres invisibles, celles qui une fois découvertes sont fatales comme les chauves-souris vampires, les sangsues géantes et les alligators mutants.

Cette partie de la Louisiane avait été quelque peu épargnée par la Grande Guerre, ou tout au moins la végétation y avait repris le dessus, la radioactivité environnante rappelait qu'il fallait éviter les points d'eau stagnants.

À quelques kilomètres de Lafayette, à l'écart de la route 90 menant à La Nouvelle-Orléans, près des grands lacs formés par le Mississippi peu désireux d'aller se perdre dans l'océan, un vieux ponton flanqué de deux barques tient tête à l'horizon, le soleil se lève, une silhouette se tient là, debout.

— Alors 112, ça mord ?

— Arrêtez de m'appeler 112 et non ça ne mord pas.

Une jeune femme blanche comme un fantôme, contrastée par ses cheveux d'un noir intense et plutôt mignonne, vêtue d'une jupe en patchwork et d'un pagne cachant l'essentiel, si elle n'était pas si pâle on aurait pu facilement croire qu'elle sortait d'une quelconque tribu d'autochtones.

— Sam ! mon prénom c'est Sam.

— Je sais 112, je sais.

— Est-ce que je vous appelle vieux fossile moi ?

— Ah ne me manque pas de respect petite effrontée.

— C'est vous qui avez commencé Otis.

— Tu sais 112, je vais te dire pourquoi tu n'attrapes rien.

Sam se retourna et l'observa, Otis, dit « le fossile », un noir de 10 000 ans aux yeux de Sam, décharné, le sourire édenté et une barbe tellement sale qu'on avait du mal à distinguer si elle était blanche ou grise.

— Ne me parlez pas de votre vaudou à la con Otis.

Otis la fixa, visiblement contrarié par ces propos.

— Excusez-moi Otis, je ne voulais pas.

— Ce n'est rien ma petite, ce n'est rien.

— Allez ! vous savez quoi, je vais vous faire plaisir, regardez, je vais vous prouver que j'écoute vos histoires Otis, Dambala va être aux anges.

Sam fouilla dans son vieux sac à dos. Elle extirpa une petite boîte hermétique et un bout d'étoffe blanche.

Elle déposa dans le linge une poignée de riz prévue à l'origine pour un repas futur et noua soigneusement le tout.

Elle descendit du ponton pour se retrouver avec de l'eau jusqu'à la taille, elle lança au loin le petit paquet improvisé et prononça une prière vaudou.

— Aksepte kado sa yo Dambala fè lwanj lapèch mwen.

Otis la regardait avec patience.

— Tu sais 112, il faut y croire.

— Désolé Otis.

À ce moment, une superbe couleuvre arc-en-ciel émergea de l'eau et replongea aussitôt avec la petite offrande.

— Merde Otis vous avez vu ça ? Le vieux se mit à rire.

— Le Lwa est bon, bon et joueur, il te laisse une chance 112. Dambala t'accorde sa miséricorde.

— Le plus impressionnant Otis, c'est que vous y croyez dur comme fer à toutes ces conneries.

— Tu as de la chance 112 !

— De la chance pourquoi ?

Sam, de l'eau à mi-cuisse, sentit quelque chose lui frôler les jambes. Par réflexe ou plutôt par peur, la lance, taillée sur un cyprès non loin de là, transperça l'eau. De violents à coup faillirent lui faire lâcher prise.

— Tu as de la chance, tu as amusé le Lwa, alors le Lwa te remercie.

Sam réussit tant bien que mal à sortir son trophée, l'anguille blessée se tortillait autour du bout de bois.

— Ça alors ! T'as vu ça Otis ? Elle mesure au moins un mètre.

— Génial ! tu apprends vite 112.

— Arrête de m'appeler 112, surtout quand j'ai une lance dans les mains vieux machin.

— Ah ah ah ! Au risque de perdre ton déjeuner 112 ?

Sam sortit de l'eau, fière de sa prise. Une anguille de cette taille devrait leur fournir à manger pour deux jours au moins.

— Merde Otis, pourquoi c'est toujours moi qui m'y colle ? Regarde mes jambes.

Le vieux entra dans un fou rire hystérique en regardant Sam dépitée, les jambes parsemées d'une bonne dizaine de sangsues.

— Ah la jeunesse, tu vois 112, les sangsues des marais ne se nourrissent pas du sang de notre peuple. Par contre, elles ont l'air d'apprécier les peaux blanches.

— Bin raison de plus, le prochain coup c'est toi qui iras faire le con dans la flotte.

— Mais pourquoi 112 ? Regarde un peu ton butin, tu commences à te faire la main.

Sam ramassa quelques brindilles sèches et munie d'une vieille pile à polymère, elle déroula un petit morceau de papier aluminium qui autrefois emballait un chewing-gum qu'elle mit en contact avec les bornes de la pile, le papier au verso s'embrasa d'un seul coup.

— Et voilà Otis, comment moi, 112, j'allume du feu.

— Impressionnant Sam, impressionnant.

— Ahhhh arrête de m'appeler Sam.

— OK 112, OK, je t'appellerai plus Sam.

— Hé, mais non j'ai pas... Oh fais chier, Otis fais chier.

Elle s'assit près de lui. Pendant qu'elle brûlait les sangsues une à une avec ses brindilles, Otis la regardait.

— Tu es soucieuse 112, qu'est-ce qui ne va pas ?

— Non ça va, ce sont les sangsues.

— Les sangsues ne font pas mal 112, tu sais j'ai déjà bien vécu et on n'apprend pas à un vieux singe à faire la grimace.

— Non je t'assure c'est rien, juste un coup de blues, juste un coup de blues Otis. Le vieux se cura un chicot et propulsa un crachat jaunâtre à ses pieds.

— Tu sais Otis, ces temps-ci j'arrête pas de penser à ma sœur.

— Maria ?

— Oui, je t'ai dit qu'elle était dans le Nevada ?

— C'est quoi le Nevada ?

— Tu vois où le soleil se couche ? Après les lacs ?

— Ahhh pardonne mon piètre savoir 112.

— Je pense que c'est à plusieurs semaines de marche.

— Semaines ?

— Oui, je pense, à l'abri, enfin à l'école de l'abri, il y avait une grande carte des États-Unis.

— Zétazunis ?

— Oui, c'était le nom de toutes ces terres avant l'apocalypse.

— Et tu veux aller voir ta sœur 112 ? C'est ça.

— Non, oui, je sais pas, ça fait si longtemps et puis on était en froid toutes les deux.

— Prends ton destin en main 112, fait en ton âme et conscience, la famille, c'est sacré.

Sam, débarrassée de ses sangsues se releva et enfourna la pile dans son sac.

— Garde le tout Otis, je n'en ai pas besoin.

— Tu l'as péché 112, elle est à toi cette anguille, Dambala te l'a offerte.

— Remercie Dambala pour moi, je file, j'ai besoin de marcher un peu on se voit demain Otis ?

— Si tu veux 112, mais dis-moi, tu n'as rien d'autre à faire que tenir compagnie à un vieillard comme moi ?

— À demain vieillard.

Otis la regarda s'éloigner à travers les branchages, agile comme un singe. Les hautes herbes lui caressaient les jambes sans plier. Quiconque n'avait pas l'habitude de se déplacer dans les bayous n'aurait pu rivaliser avec elle, esquivant chaque branche, chaque trou d'eau, refuge de nombreux dangers, elle marcha près d'une heure ; le niveau de l'eau, par chance, était relativement bas cet été dans les bayous.

L'ancienne Louisiane vivait en autarcie depuis quelques siècles déjà. Le réchauffement climatique dû à la radioactivité avait été fatal pour le pôle Nord, engendrant une montée des eaux de plusieurs mètres, inondant la majeure partie du delta du Mississippi. Un mal pour un bien car le taux de sodium présent dans le Golfe du Mexique décontaminait la Louisiane par ses marées, incitant la végétation à reprendre le dessus.

La Louisiane pouvait aisément passer pour le paradis à la vue de ce qu'il restait de l'Amérique du Nord, rares étaient encore les régions où l'on pouvait trouver des magnolias en fleur et leur doux parfum mêlé à ceux des cyprès sauvages.

Lorsque Sam émergea d'un bosquet de bouleaux, la terre ferme était de nouveau sous ses pieds. Elle emprunta l'ancienne route 90, les restes d'une deux fois deux voies qui rejoignait à l'époque Lafayette à La Nouvelle-Orléans si la montée des eaux n'avait pas rendu la chose impossible. La 90 était jadis une route très fréquentée. De nombreuses carcasses de voitures rouillées jonchaient encore le bitume sur les quelques kilomètres qu'elle suivait pour arriver en ville. Elle marcha tranquillement vers l'Est sous le soleil afin de faire sécher ses vêtements jusqu'à ce qui fut autrefois la petite ville de Morgan city.

Il était fréquent sur la 90 de trouver des dizaines d'alligators profitant des rayons du soleil et de la chaleur du bitume encore présente quelques heures après le coucher du soleil. Tournant le dos au soleil, Sam s'amusait à contempler son ombre grandissante telle une enfant qu'elle n'a jamais été, s'amuser pour un rien, des petits moments à elle qu'elle n'avait jamais connue pendant son enfance dans l'abri antiatomique. Elle perdit un peu la notion du temps sur la 90, depuis quelques jours son esprit était occupé, trop occupé pour se rendre compte qu'elle était suivie.

Un jeune homme à peine majeur en toute évidence lui filait le train. Sam sursauta et évita la crise cardiaque de justesse, le jeune homme, lui, faillit y rester sur le moment lorsque Sam brandit sa lame en direction de sa gorge.
— Merde excuse-moi.
— Pardon Sam je ne voulais pas vous effrayer.
— M'effrayer ? Moi ? Mais non.
— Si, je vous ai effrayé.
— Mais je te dis que non voyons, que fais-tu ici ?
— Grand-père m'a dit que je vous trouverai sur la 90.

— Otis est déjà rentré au village ?

— Oui, il est vieux, mais il ne faut pas le sous-estimer.

— Je vois ça, oui, que me voulais-tu pour avoir traversé la moitié des marais ?

— Bin vous savez Sam, je serai bientôt un homme.

— Toutes mes félicitations alors, mais tu n'as pas fait cette route pour me dire ça.

Au moment où Sam posa la question, elle resta sans voix, une sensation désagréable l'envahie ainsi qu'une violente montée en température qui lui donna des sueurs froides, imaginez ce tribal, plutôt bel homme, vêtu simplement d'un pagne de peau, d'une machette tenue en bandoulière, ses cheveux noirs comme ceux de Sam faisaient ressortirent ses yeux de la même couleur, mais ce qui perturba Sam se fut le bouquet de fleurs sauvages, ramassé maladroitement à la va-vite sur le bord de la 90.

— Euh elles sont pour vous Sam.

— Mais, euh, pourquoi ?

— Pour rien Sam, je vous apprécie beaucoup et je tenais à vous le montrer.

— Non.

— Comment ça non ?

— Enfin si, mais non.

— Comment ça si, mais non.

— Si c'est super gentil, mais non je ne peux pas accepter.

— Et pourquoi cela ?

— Bin parce que…

— Ce n'est pas une raison ça !

— Pour moi, si, et elle est suffisante.

— Je peux être honnête avec vous Sam ?

— Bien sûr.

— Pourquoi vous vous empêchez d'être heureuse ?

— Comment ça je m'empêche d'êtr…

— Oui, moi je suis heureux de pouvoir vous montrer mes sentiments pour vous, alors si vous voulez l'accepter parce que vous m'aimez aussi, tant mieux, prenez-le, sinon vous pouvez le prendre parce qu'il vous fait plaisir, mais que vous ne désirez rien de plus.

Sam resta un peu dans le flou encore sous le coup de l'émotion.

— Tu sais c'est la première fois qu'on m'offre un bouquet de fleurs, alors il ne faut pas m'en vouloir d'être un peu rustre et maladroite.

— Alors ?

— J'accepte ton bouquet avec plaisir, je t'assure, mais pour le reste j'avoue que c'est beaucoup trop soudain pour t'avouer quoi que ce soit.

— Je comprends Sam, mais je respecte votre choix.

Il se pencha vers elle, ou plutôt leva la tête car il était un peu plus petit qu'elle, il l'embrassa sans que Sam eût le temps de réagir ou même de lui faire sauter quelques dents, il se retourna.

— À bientôt j'espère Sam.

Sam resta planté là, son bouquet de fleurs à la main et son couteau de chasse dans l'autre, étrange état d'esprit, elle n'arrivait pas à cerner ce qu'elle ressentait lorsque de vieux souvenirs ressurgirent dans sa mémoire.

Appuyé contre le mur d'acier, Sam terminait avec hâte ses exercices de mathématiques, le stylo bille au coin des lèvres, elle n'arrivait pas à se concentrer sur ses devoirs, la conversation de ses parents dans la pièce d'à côté attirait toute son attention.

— Je suis désolé ma chérie, mais pour Sam, il va falloir réagir.

— Mais c'est ta fille quand même on ne peut pas la laisser comme ça !

— Je comprends ma chérie, mais le proviseur m'a mis en garde. C'est la dernière fois que Sam se bat en classe, elle a failli envoyer le gosse des Matterson à l'infirmerie s'il n'était pas intervenu.

— Il faut lui parler, c'est tout, tu sais bien qu'elle est différente, mais elle n'est pas méchante.

— Et tu envisages quoi comme avenir au sein de la communauté pour elle ? Elle n'arrive pas à se faire d'ami, quand elle aura l'âge, elle n'aura pas non plus de petit ami, un jour il se passera un drame et nous ne serons pas toujours là pour ramasser les pots cassés.

— Je sais, mais c'est notre fille et jamais elle ne sera privée de mon aide, jamais ! Tu entends ? De toute façon, le superviseur ne peut pas nous expulser de l'abri, c'est la mort qui nous attend dehors. Il en est conscient tout de même ?

— Je le sais bien ma chérie, mais…

— Mais quoi ! Tu es mon mari et c'est ta fille, si elle doit partir je pars avec elle, libre à toi de nous suivre ou non.

Sam se rendait bien compte de l'évidence, durant son enfance elle n'avait jamais cessé d'être en conflit avec son père, cet homme froid, dur et distant qui n'avait jamais pris le temps de s'occuper d'elle, une enfant, du coup, elle ne possédait que l'amour de sa mère et quelques jouets guère passionnants, elle préférait largement les bouquins qu'elle volait en douce dans le salon pendant que ses parents dormaient.

Depuis le jour du drame, elle n'eut aucune trace de son père, était-il mort ? Avait-il eu le temps de s'enfuir ? Elle n'en savait rien et s'en fichait complètement, cette rancœur envers son père était devenue de la haine, où était-il lorsqu'il aurait dû protéger sa maman ? Était-ce normal qu'une fillette de dix ans venge la mort de sa mère ? Était-ce normal à dix ans de mettre une balle dans la tête de quelqu'un ? La scène était ancrée dans son esprit depuis tant d'années.

Sa mère lui avait confectionné un petit jardin dans un ancien bac de maintenance, rempli de coton hydrophile, sa mère et elle y faisaient pousser de petites fleurs blanches et bleu clair. Elle lui répétait sans cesse le nom latin de ses fleurs que Sam prenait un malin plaisir à ne plus se rappeler.

Elle revint à la réalité, le bouquet à la main, ces fleurs étaient identiques à celles que sa maman et elle faisaient pousser dans l'abri.

La tête baissée, elle ne regarda même pas Olok, le petit-fils d'Otis partir, elle essuya du revers de la main une larme salée qui coulait le long de sa joue.

Elle ramassa une poignée de longues herbes et noua le bouquet à son paréo de coton.

Elle essuya de nouveau une larme et renifla, respira un grand coup et reprit le chemin de Morgan City.

La ville, ou du moins ce qui en restait, était le lieu de vie d'une bonne centaine de personnes, noirs, métisses, on trouvait de tout à Morgan City, mais peu de blancs, ceux-ci restaient de l'autre côté du Mississippi à quelques kilomètres à l'Est.

À l'époque, ils venaient troquer diverses denrées avec la communauté noire, mais le commerce se raréfia jusqu'à sa disparition complète. À la grande incompréhension de la population, seuls le révérend, sa famille et son église étaient restés fidèles à la communauté.

Morgan City, comme la plupart des villes de l'ancienne Amérique, elle avait été soufflée par la guerre.

Des ruines en quasi-totalité, les gens vivaient à l'entrée ouest, le long de la 90.

Un ancien centre commercial de par sa structure basse avait résisté ; les dizaines de boutiques de la galerie marchande servaient d'habitations, le parking, lui, faisait office de place de marché où les étales offraient tous les produits possibles et imaginables, viandes, poissons, cannes à sucre, patates douces, tout était à troquer, sans parler des boutiques vaudou chères à Otis. Le vaudou était ancré dans la culture de la Louisiane depuis probablement l'avant-guerre qui sait ? Gris-gris, potions, statuettes, fétiches et amulettes emplissaient les étales.

16

Dans un coin, de vieilles femmes tissaient les fibres de coton sauvage, fumant la pipe, elles marmonnaient des chants pour s'attirer les grâces de quelques Lwa et de Mawu, les dieux des dieux.

Sam aimait circuler dans ce brouhaha, les odeurs de cuisine, les encens, tout cela l'impressionnait. Tous ces gens semblaient se connaître, eux ne la connaissait pas, mais s'étaient habitué à sa présence depuis quelque temps déjà, une blanche au milieu des noirs ne passait pas inaperçue. Elle venait parfois lorsque la pêche était bonne pour troquer son surplus de poisson contre des recettes locales comme le rat mariné, de l'alligator à la cajun ou même du mocassin à la broche farci avec de petits fruits orange dont elle ignorait le nom, mais ce dont elle raffolait.

Une femme, entre deux âges, extrêmement bien portante, vêtue de rose et de bleu vif la happa par le bras.
Elle la regarda et eut une étrange sensation en fixant son pendentif, trois petits cœurs en pierre noués entre eux par une longue ficelle de coton, sa démarche et sa nonchalance sensuelle la perturba, elle devait peser un bon quintal, mais se déplaçait avec une agréable légèreté.

— Laissez-moi vous regarder ma jolie.

— Qui y a-t-il, madame ?

— Votre avenir ma jolie, vous voulez connaître votre avenir ma jolie ?

— Non merci, ça ne m'intéresse pas, c'est gentil, mais je ne crois pas à tous ces trucs, vous savez.

— Qui vous demande de croire à quoique ce soit ma jolie ? Laissez-vous guider, Papa Legba vous montrera la route si vous lui ouvrez votre âme.

— Non, mais je vous assure, je ne suis vraiment pas int...

— Une partie de votre cœur est perdue ma jolie, loin, perdue vers le couchant.

— Pardon ? De quoi parlez-vous ?

— Le diable est après vous, il veut votre âme, votre âme et votre cœur, vous serez l'instrument du malin, vous ouvrirez les yeux beaucoup trop tard ma jolie.

— Laissez-moi tranquille, j'ai pas envie de vous écouter.

Sam s'arracha de l'étreinte de la femme et continua sa route, la femme, elle, resta plantée là, la regardant s'éloigner.

— De pati yo nan nanm ou se an danje, w ap atann yon batay pou konsève pou ! s'écria-t-elle.

Un silence de mort s'instaura immédiatement au sein de la foule, Sam n'eut pas le temps d'en comprendre le moindre mot, mais ne demanda pas son reste et continua son chemin.

Elle continua sa route à travers les ruines de Morgan City en direction du soleil levant.

— Comment va-t-elle ?

— Son état est stable révérend, vous comprendrez que malgré tous les soins apportés son état ne s'améliore pas.

— Mais qu'a-t-elle enfin ? Docteur, comment est-ce possible que vous ne le sachiez pas ?

— C'est étrange révérend, je puis vous assurer que cette fièvre n'a pas pour origine une infection, ses défenses immunitaires fonctionnent à merveille.

— Mais quoi alors ?

— Je dois reconnaître mon incompétence révérend, les saignées restent inefficaces, les cataplasmes également et vous connaissez aussi bien que moi la difficulté de trouver des médicaments.

— Laissez-moi seul avec ma femme voulez-vous !

Près du lit à baldaquin, le révérend, un homme d'environ un mètre quatre-vingt-cinq, la cinquantaine, sa tenue ecclésiastique faisait preuve d'une certaine originalité, santiags en croco, ce qui était assez courant en Louisiane, un pantalon noir et une chemise noire également, sa carrure en imposait, les cheveux grisonnants et sa barbe rasée de près rendait évident le fait que c'était un homme soigné malgré le grand déclin de l'humanité.

Une petite fille d'environ dix ans pénétra dans la chambre de style victorien.

— Maman est guérie ? J'ai vu le docteur partir !

— Non mon cœur, maman est malade tu sais, très malade, tu peux la voir quelques minutes et puis il faudra la laisser se reposer.

La fillette s'approcha du lit puis s'assit près de sa maman, la ressemblance était frappante, blondes comme les blés toutes les deux, un petit nez retroussé trahissait des origines métissées. La fillette prit la main de sa mère et l'embrassa, elle ne réagit même pas au contact de sa fille chérie, le révérend assistant à la scène avec tant de tristesse, qu'une fois ses larmes essuyées du revers de sa chemise, il la pria de la laisser seule, mais la fillette s'y refusait.

— Pourquoi maman n'est plus là ?

— Mais si voyons, ta maman est là et elle sera toujours près de nous.

— Mais papa, elle me regarde pas.

— Ta maman est très fatiguée ma chérie, mais quand elle ira mieux elle t'emmènera de nouveau aller cueillir des fleurs comme avant.

La fillette se mit à pleurer.

— Mais ses yeux papa, ses yeux sont vides, comme dans les histoires que les gens racontent en ville.

— Ne mélange pas tout ma chérie, tout ça, ce sont des histoires ma puce, ta maman est juste un peu lasse, tu comprends ?

Il la prit par la main et ils sortirent de la chambre.

— Allez viens ma chérie, laissons-la se reposer.

Le révérend, sa femme et leur adorable Margareth habitaient une vieille demeure de style victorien à l'écart de Morgan City, sur une colline surplombant Bateman Island. La bâtisse en pierres noires était magnifique, malgré le côté inquiétant dû à sa couleur, de longues allées bordées de bouleaux menaient au manoir et à ses dépendances. Malgré tout, la végétation avait depuis fort longtemps repris ses droits sur les lieux, les jardins n'étaient plus entretenus depuis une éternité. Ce qui fut un splendide chemin de gravier rose restait à peine perceptible, envahi de ronces, chardons, lierres en tous genres. Un majestueux saule avait même poussé dans la fontaine brisée qui séparait les deux escaliers permettant l'accès au hall. Sur le côté, un immense jardin d'hiver dans un état remarquable se tenait fièrement debout si ce n'est que quelques vitres qui étaient cassées.

— Bonjour docteur.

— Bonjour.

— Comment va-t-elle ?

— De vous à moi miss, je vois peu d'espoir pour elle, bien peu d'espoir, mais c'est lui qui me fait le plus de soucis, je doute de sa capacité à assumer la situation.

— Merci pour tout docteur.

Sam remonta l'allée du manoir en pressant le pas, seule devant l'immense porte de peuplier sculptée, elle hésita à frapper. Elle prit une profonde inspiration et empoigna le marteau de bronze en forme de tête de bouc.

C'est la petite Margareth qui ouvrit la porte.

— Bonjour Sam.

— Bonjour Maggy, comment vas-tu aujourd'hui ?

— Bof, maman est toujours très fatiguée alors je ne peux pas jouer avec elle, je m'ennuie un peu.

— C'est promis, je file dire bonjour à ton papa et je repasse te voir OK ?

— C'est promis miss ?

— Juré craché !

— Ah non ! mon papa dit toujours que c'est impoli et irrespectueux de cracher.

— Et il a raison, c'est vrai, allez je reviens dans quelques minutes, file.

Elle traversa le hall marbré, d'immenses frises décoraient les plafonds, à chaque fois que Sam y pénétrait, elle ne pouvait s'empêcher de frissonner. Elle était magnifique cette demeure, mais une désagréable sensation lui filait des sueurs froides à chaque fois qu'elle passait la porte.

Face au massif escalier, un bruit de pas résonnant à travers les couloirs lui indiqua que le révérend venait à sa rencontre.

— Bonjour Sam.

— Bonjour révérend.

— Vous venez rendre visite à Margareth ?

— En fait c'est vous que je venais voir.

— Eh bien je suis là, donnez-vous la peine de me suivre au petit salon, je vous prie.

Sam s'exécuta, le petit salon n'avait de petit que le nom, d'épais rideaux rouges donnaient un côté feutré à l'endroit, deux vieux fauteuils de cuir rouge également appuyaient l'ambiance, ce qui attira Sam c'est le parquet en chevrons noir et chêne, il était si vieux, si mat, une lame était même cassée, ce qui réduisait à néant les rumeurs locales comme quoi le manoir se serait reconstruit de ses propres ruines, cette rumeur l'avait toujours amusé, ainsi que d'autres bien sûr. Le révérend l'invita à s'asseoir.

Elle fut un peu gênée, elle baissa les yeux et regarda son paréo de toile, mais c'était trop tard lorsqu'elle aperçut ses sandales pleines de terre, elle s'excusa. Le révérend s'amusa de la situation.

— Au moins, je peux vous suivre à la trace.

— Je suis vraiment désolé révérend.

— Ce n'est rien je vous assure.

— Merci beaucoup, mais si ça ne vous dérange pas je préfère rester debout.

— À votre aise, alors dites-moi, qu'est-ce qui vous amène Sam ?

— Eh bien voilà, en traînant près de la 90 j'ai trouvé ça.

Elle posa son sac sur le fauteuil rouge, mais s'aperçut trop tard qu'il était également plein de boue.

— Oh merde, pardon révérend.

— Ce n'est rien ce n'est rien.

— Je suis vraiment confuse.

— Allons allons, alors dites-moi.

— Oui pardon, je disais que j'ai trouvé cela et je me suis dit que cela pourrait vous être utile, enfin je crois.

— Une trousse à pharmacie ?

— Oui et elle est pleine regardez, des bandages, des pommades, des ciseaux stériles, enfin je crois.

— Et donc vous m'offrez cela ?

— Je me suis dit que.

— C'est gentil Sam, mais vous savez, ma femme n'a malheureusement nullement besoin de tout cela.

— Ah je pensais que…

— Je vous assure, c'est adorable, mais gardez cela pour vous, on ne sait jamais.

— Et comment va-t-elle ?

— Bien mal, elle se réveillait plusieurs fois par jour, mais aujourd'hui je crois qu'elle est dans le coma. À ces phrases, le révérend ne put contenir son émotion et commença à pleurer.

— Laissez-moi voulez-vous, je vous en prie.

— Bien révérend, je passe dire au revoir à Maggy et je file.

— C'est ça et merci de votre compassion.

Sam remballa ses affaires, regarda le révérend, il était assis sur l'autre des deux fauteuils rouges, il tenait son visage dans ses mains, il sanglotait.

Sam, une fois dans le hall, se laissa bercer par une douce mélodie, langoureuse et chargée d'émotions.

Elle poussa la grande porte du séjour principal, la pièce était vide, à l'exception d'un seul meuble présent en plein milieu de la pièce, un vieux et prestigieux Steinway & Sons.

Maggy y était assise et jouait lentement.

— C'est joli ce que tu joues, c'est quoi ?

— C'est maman qui l'avait écrite pour mon anniversaire.

— Je suis sûre qu'elle t'en écrira plein d'autres très bientôt.

— Je ne crois pas Sam.

— Pourquoi dis-tu cela Maggy ?

— Papa pleure et je ne l'ai jamais vu pleurer.

— C'est parce qu'il se fait du souci pour toi, il craint que tu sois triste.

— Mais je ne suis pas triste.

Sam ne sut que répondre.

— Tu sais Sam, c'est gentil de passer me voir, des tas de gens viennent réconforter papa, mais moi personne n'ose me parler.

— Bin tu sais j'ai eu ton âge et j'étais très seule moi aussi alors je sais ce que c'est.

— Tu as quel âge Sam ?

— J'ai vingt-trois ans et toi tu as onze ans, je crois, c'est ça ?

— Non j'ai presque douze ans, je ne suis plus une enfant, tu sais.

— Eh bien pour tes « presque douze ans » que dirais-tu de venir avec moi demain pour pêcher ou chasser ?

— Ça serait formidable Sam, mais papa ne sera pas d'accord.

— Nous verrons, je repasserai demain d'accord ?

— D'accord Sam, à demain, peut-être me parleras-tu de ton amoureux ?

— Mon amoureux ? De quoi tu parles ?

— Des fleurs sur ta robe, ça ressemble aux bouquets qu'un garçon donne à une fille pour lui dire qu'elle lui plaît.

— Ah euh non mais…

— Il est gentil ?

— Oui très, mais ce n'est pas mon amoureux, c'est juste un cadeau comme ça.

— Alors pourquoi ?

— Pourquoi quoi ?

— Il t'offre des fleurs et il est gentil alors pourquoi c'est pas ton amoureux ?

— Bin, je sais pas et dites-moi jeune fille, la curiosité est un vilain défaut, tu le sais ça ?

— Oui bien sûr, mais tu es si souvent toute seule comme moi alors je suis contente pour toi c'est tout, moi je suis trop jeune pour avoir un amoureux, mais je suis sûre qu'il sera gentil et lui aussi il m'offrira des fleurs.

— Je l'espère bien Maggy, sinon je lui péterai la tronche.

Maggy et Sam se mirent à rire, réchauffant le côté glacial de ce salon aux proportions démesurées puis Sam tourna les talons et comme envoûtée par cette mélodie, elle s'éloigna doucement vers le hall, sa démarche était lente et en rythme avec le piano.

Quelques jours plus tard, le révérend et sa fille étaient au pied de la colline. Le petit cimetière de Young Mémorial Park était le cimetière historique de la ville, des dizaines de stèles anciennes pour les riches d'un côté puis de l'autre, les croix de bois disposées un peu n'importe comment pour les pauvres. Il était de mise que le cimetière devait se trouver le plus éloigné possible du bayou pour éviter que les chiens léopards, alligators et les rats géants ne viennent se repaître des chers défunts. La femme du révérend n'avait pas survécu à ses terribles fièvres, cela faisait deux jours que le coma l'avait emportée. Les funérailles de la femme du révérend furent intimes. Personne ne devait y être présent, mais de funèbres circonstances furent qu'un second enterrement avait lieu dans un coin du cimetière. Quelques anciens pleuraient un de leurs proches, à la différence d'un enterrement dit classique, la communauté noire de Morgan City elle, faisait la fête, des chants, des prières remerciant Papa Legba et le baron Samdi

24

d'accompagner le défunt jusqu'au ciel, s'ensuivait un repas de fête réunissant famille et amis, le tout accompagné par un orchestre improvisé.

Contraste violent, le révérend, immobile, pleurait à chaudes larmes. Il s'agenouilla et regarda la tombe de son épouse, il leva pourtant les yeux lorsque Sam et quelques habitants arrivèrent près de lui et de sa fille.

— Bonjour révérend, nous voudrions nous présen...

— Partez, partez tous.

— Mais voyons papa ils sont venus pour nous, pour nous et pour maman.

Le révérend se releva et se dressa devant les quelques personnes venues apporter leur réconfort à la petite Maggy ainsi qu'au révérend.

— Je vous ai dit de partir, vous n'avez rien à faire ici. Pourtant resté en retrait, Sam intervint :

— Voyons révérend, vous ne pouvez pas leur en vouloir de compatir ainsi à votre douleur. En cœur les tribaux se mirent à chanter d'une seule voix :

Kalfou o ou pa vini wè mwen Ou pa vini wè mwen

Kalfou gen maladi lakay mwen Kalfou sa Kalfou a danjere Kalfou sa Kalfou a danjere Kalfou o ou pa vini wè mwen Ou pa vini wè mwen.

Kalfou gen maladi lakay mwen.

(Kalfou, toi qui règnes sur la vie et la mort.
La maladie me menace et me nargue. Jusqu'en ma demeure
Ne m'avais-tu pas promis protection ? Et dans un tel moment
tu ne te manifestes point.)

Gede Zarenyen Woy woy Gede Zarenyen Gede Zarenyen Woy woy Gede Zarenyen Woy woy Gede Zarenyen Gede Zarenyen Yap fé konplo

Pou yo touye mwen Woy woy
Gede Zarenyen Gede Zarenyen

(La mort est une araignée patiente Tissant sa toile jour après jour
Comme on prépare un piège
Dans le secret du complot
Mort qui veille sur ma vie
Me menace et me protège
Ne me laisse pas emporter par d'autres que toi)

Le révérend frappa Sam sans retenue, elle se retrouva à quatre pattes sur le sol devant la violence du coup.

— C'est de votre faute, de votre faute à tous si elle est morte.

— Voyons papa calme toi

— Vous et votre magie noire, votre vaudou de malheur et vous osez venir ici ? En ce lieu saint ? Vous bafouez notre seigneur.

Sam se releva et fixa le révérend.

— Calmez-vous, nous allons vous laisser, mais ne vous emportez pas, ils sont venus pour vous soutenir.

Sam et ses compagnons rebroussèrent chemin, laissant au révérend l'intimité souhaitée.

Seuls, le révérend et sa fille restèrent silencieux un long moment, Maggy semblait effrayée par son père, mais se refusait à lui lâcher la main.

— Ne regarde pas la tombe de maman comme ça Papa.

— Ils le paieront Maggy, ils le paieront.

— Ne dis pas ça Papa, tu me fais peur.

— Tout ça, ce docteur et ses remèdes vaudous de merde, ce sont eux, ils me l'ont pris.

— Tu sais bien que ce n'est pas vrai papa, hein, tu le sais ?

Depuis l'enterrement, plusieurs jours avaient passé et personne n'avait de nouvelle du révérend ni de sa fille. Sam se rendit au manoir à plusieurs reprises, mais rebroussa chemin à chaque fois, à peine arrivée dans l'allée principale, intimidée, ne sachant que dire, elle s'inquiétait pour le révérend, mais surtout pour Maggy, mais n'avait pas la force d'affronter son père.

Quelques semaines plus tard, Sam et Otis étaient de nouveau en marche pour aller pêcher.

— Tu ne trouves pas ça curieux 112 ?

— De quoi Otis ? Qui y a-t-il de curieux ?

— L'eau, 112, l'eau, j'ai l'impression qu'il y a moins d'eau regarde on distingue encore les traces de points d'eau, mais ils sont secs.

— Oui t'as raison, ce sont peut-être les marées ?

— Mais en général, cela ne dure pas, là, ça a l'air d'être sec depuis quelques jours déjà.

— Oui bin de toute façon nous n'y pouvons rien Otis.

— Il se passe des choses étranges je trouve ces temps-ci.

— Et qu'y a-t-il d'étrange Otis ? Le Mwa ne te protège-t-il pas toi et ta tribu ?

— Le niveau de l'eau, l'étrange décès de la femme du révérend, les animaux aussi, ils se comportent de façon tout à fait étrange.

— Bouha, tu te fais des idées, le vaudou ne te fait pas que du bien Otis.

Une branche céda sous le poids de Sam, sa jambe se déroba dans un trou d'eau, sous le coup de la douleur elle poussa un hurlement assez effrayant, Otis la regarda d'un air amusé.

— Eh bien 112 c'est la branche qui a cassé pas ta jambe.

Sam ne répondit pas, sa pâleur augmenta, des sueurs froides lui montaient au visage, des frissons lui parcoururent l'échine. Otis vit rapidement qu'il se passait quelque chose d'anormal, elle eut du mal à reprendre son souffle, mais parvint à cracher quelques mots.

— Quec... chose... ma... mordu... jambe... fait mal.

— Comment ça quelque chose ?

Otis aida Sam à retirer sa jambe du trou d'eau, il découvrit deux belles traces de dents sur son mollet qui commençait à saigner.

— Merde, un serpent, probablement un mocassin.

— Merde... c'est mor...

Sam ne put finir sa complainte et se mit à gémir de nouveau.

— Merde et merde, le village est trop loin et Morgan City aussi, je n'aurai pas la force de te porter 112.

Otis déchira un bout du paréo de Sam et lui noua fermement autour de la jambe, juste sous le genou.

— Je vais aller chercher du secours, ne bouges pas 112 et fais gaffe à toi.

Otis fouilla dans sa besace et en sortit une poignée de cailloux peints, il les dispersa autour de Sam et prononça une sorte de prière en chantant de façon saccadée.

— Mwa pi gwo pwoteje sèl lotèl la, ki pouvwa ou efre malfezan, gwo mwa teras ki fòs ou je a sa ki mal mwa pi gwo pwoteje sèl lotèl la, ki pouvwa ou efre malfezan, gwo mwa teras ki fòs ou je a sa ki mal mwa pi gwo pwoteje sèl lotèl la, ki pouvwa ou efre malfezan, gwo mwa teras ki fòs ou je a sa ki mal.

Il alluma une petite bougie argentée qu'il plaça près du corps de Sam.

— Je reviens 112, je reviens.

— Tiens ma chérie, c'est pour toi.

— Mais je suis pas sûr que ce soit une bonne idée, qu'en penseraient maman et papa ?

— Mais non ne t'inquiètes pas ils n'en sauront rien et puis merde ma chérie, tu abuses t'as 14 ans.

— Pourquoi j'abuse ?

— Bin t'as pas encore compris que Papa et Maman ne sont plus là, le paradis, l'enfer, tous ces trucs ce sont des conneries pour les gosses, un truc un peu infantile, ça permet de se donner bonne conscience.

— Tu crois vraiment ce que tu dis ?

— Bien sûr, il n'y a rien après la mort, ton âme crève et ton corps pourrit, bouffé par les vers. Elle fondit en larmes.

— Ça veut dire que papa et maman…

— Euh non, mais si, enfin, je suis désolé ma chérie, mais il faut arrêter de croire que tout est beau dans ce monde de merde, alors tu en veux une ?

— Non merci.

Sam s'alluma une cigarette et regarda sa sœur.

— Tu sais, ça fait déjà quelques années et il faudrait que tu passes à autre chose.

— J'ai jamais su si tu m'effrayais ou si je t'admirais.

— Pardon, de quoi tu parles là ?

— Cette capacité à ne rien laisser paraître, si je n'étais pas ta sœur je te dirais que la mort de papa et maman ne t'a jamais touché le moins du monde.

— Je t'interdis de dire un truc pareil, tu entends je te l'interdis, oui je n'ai jamais eu les mêmes délires que toi et tes amis, tu étais populaire toi, la petite fille avec qui il fallait être copine, la petite fille, tu sais, celle qui a une grande sœur bizarre qui ne sourit jamais, tu crois que ça m'amusait ? Seulement, tu étais là quand j'ai défoncé la tête du petit connard qui s'en était pris à toi ? Qui pleurait comme un bébé dans les bras de maman quand elle a été tuée ? Oui c'est moi la sœur bizarre, la sœur qui, malgré tout, a fait que tu aies quatorze ans et que tu sois toujours en vie, la sœur qui a tué des gens pour te protéger.

Elle prit une cigarette dans le paquet de Sam.

— Je suis désolé Sam, mais.

— Mais quoi ?

— Je crois qu'il vaudrait mieux…

Sam se réveilla en sursaut, transpirante et complètement paniquée.

— Maria !

— Du calme 112, du calme.

— Otis ? On est où là ?

— Calme-toi et bois un peu d'eau, t'es resté dans le coltar quatre jours.

— Quatre jours ? Merde.

— Le mocassin qui t'a mordu a balancé une sacrée dose de venin, t'as de la chance que j'ai trouvé quelqu'un.

— Et moi c'est Hubert, Hubert James Lavoie, je sais, je dois avoir des origines françaises, chacun ses défauts non ?

— Bonjour.

— Heureusement qu'Otis m'a trouvé rapidement sinon c'était foutu.

— Nous sommes où là ?

— Pardon je manque de galanterie, je suis la honte de la France.

— Pourquoi dites-vous ça ?

— Bin je sais pas en fait, j'ai vu beaucoup de films, vous savez, des films français, enfin les affiches, j'en ai toute une collection et j'ai l'impression qu'en France les gens sont galants.

Sam le regarda en penchant la tête avec des yeux de cocker français.

— Ah bin si vous le dites, mais on est où là ?

— Pardon, on est chez moi, une cabane sur pilotis dans les bayous, un ancien magasin de pêche.

— Un magasin de pêche ?

— Oui, avant la guerre ils utilisaient des objets bizarres pour attraper du poisson.

— Bizarre ? Comment ça bizarre ?

— Oh de grandes tiges souples terminées par du fil, je n'ai toujours pas compris comment cela fonctionnait.

Hubert James se pencha sur elle une gamelle à la main. L'extraordinaire fumet embaumait la pièce.

— Ragoût de castor à la cajun, attention c'est chaud.

Sam dévora son assiette sans dire mot, idem pour la deuxième et le son de sa voix ne se fit entendre que lorsqu'elle les rejoignit à table et demanda à finir l'assiette d'Otis.

— Ça fait plaisir de voir quelqu'un qui se régale.

— C'est clair que c'est délicieux, je vous félicite.

— Oui, mais c'est curieux.

— Qu'est-ce qui est curieux ?

— Bin c'est pourtant pas de la cuisine française.

— Française ? Parce que c'est pas bon si ce n'est pas Français ?

— Non ! Enfin si.

— Alors pourquoi vous dites ça ?

— Bin j'en sais rien en fait, je me dis juste que vous aviez de la chance que je ne sois pas Anglais.

Otis et Sam se regardèrent comme, disons-le, deux cons. Ils n'osèrent réalimenter la discussion sur ce sujet.

Otis renchérit de plus de bel de peur qu'Hubert James ne continue sur sa lancée.

— En tout cas 112 je suis content que tu t'en sois sorti, Olok m'en aurait voulu si je t'avais laissé mourir.

— Parlons-en Otis, c'est quoi ce délire avec Olok ?

— Qui est OLOK ? interrogea Hubert James sans aucune retenue.

— C'est son petit ami et c'est aussi mon petit-fils.

— Héééé ! Ce n'est pas mon petit ami.

— Tu es farouche 112, il ne te plaît pas mon petit-fils ?

— Non, si, mais pas…

— Alors tu vois, vous allez me faire de beaux arrière-petits-enfants, tu es belle comme tout 112 et lui il est fort comme un alligator.

— Et bin c'est pas une raison Otis.

— Ahhh alors cette charmante demoiselle est courtisée si je comprends bien.

— Oui, elle a un caractère de chien, mais elle cèdera, si vous connaissiez mon petit-fils vous sauriez qu'elle n'a aucune chance.

— C'est quand même à moi de décider merde, ohhh vous me saoulez.

Sam se leva de table, un peu vexée et sortit fumer une cigarette sur le ponton devant la boutique de pêche.

Elle ne réussit pourtant pas à occulter cette discussion de son esprit, personne ne s'était réellement intéressé à elle depuis son enfance ; ce qui la rendait maladroite au niveau des relations humaines. Elle tira une longue bouffée sur son clope et, assise les genoux sous le menton, elle regarda partir la fumée entre les branches du saule qui surplombait le ponton. La lune était pleine, les reflets faisaient briller de mille feux les bayous, tout était si calme, les oiseaux nocturnes se faisaient discrets ce soir, les doux clapotis de l'eau résonnaient dans le néant accompagnés du martèlement de quelques branchages heurtant les piliers au gré des remous.

Plusieurs jours durant, Sam resta auprès d'Hubert James. Otis passait plusieurs fois par jour pour prendre des nouvelles de sa future « belle petite fille ».
— Alors 112 la douleur est partie ?
— Quoi ? Vous n'allez pas vous y mettre HUB ? Pas vous ?
— Désolé c'est sorti tout seul.
— Mouais, tiens quand on parle du vieux débris, le voilà.

Otis, à petits pas, revenait d'une balade bien plus longue que prévu.
— Alors, vieux machin ? On traînait ?
— Ouf, j'ai fait ce que j'ai pu.
— Remarquez pour mon mariage vous voir claquer me ferait une jolie dot.
— Une quoi ?
— Non rien, mais que se passe-t-il Otis ? Vous avez l'air bizarre !
— Je reviens de la ville, j'y suis allé pour vendre mon poisson.
— Et c'est ça qui vous a mis dans cet état ?

— Non, bien sûr que non, mais il s'est passé quelque chose d'affreux.

— Comment ça ? Quoi qui est affreux ? Ils veulent vous enfermer dans un musée avec d'autres vestiges ?

— Je ne plaisante pas Samantha.

Le sourire en coin de Sam disparut bien vite à l'entente de son prénom, Otis ne l'appelait jamais par son prénom ou trop rarement, du coup, Sam posa toute son attention sur lui.

— Racontez-nous Otis.

— Voilà voilà, sur le chemin j'ai croisé quelques personnes qui fuyaient la ville.

— Comment ça « qui fuyaient la ville » ?

— Ils m'ont dit que les Gédés étaient revenus d'entre les morts pour prendre leurs âmes.

— Mais ce sont des conneries ces trucs Otis.

— Je sais ce que tu penses Sam, mais j'y suis allé, je les ai vus.

— Vu qui ? Les Gédés ?

— Oui ils sont nombreux, tous vêtus de longues cagoules pointues.

— Comment ça des cagoules pointues ?

— Tu sais Sam, cela fait bien longtemps avant que tu n'arrives que les Gédés sont ici.

— Vas-y, raconte parce que j'ai l'impression que tu ne dis pas tout là.

— Il y a de nombreuses années, des gens ont réussi à traverser le Mississippi, ces gens nous ont raconté ce qui se passait de l'autre côté du fleuve, les Gédés les traquaient, les uns après les autres. Ils étaient exterminés jusqu'au dernier et nous, nous pensions être en sécurité. Il faut être inconscient pour traverser le fleuve et tous ses dangers. Il grouille de ces affreuses créatures sur ces berges. J'ai déjà eu affaire avec ces diableries, elles vous chopent et boivent votre sang jusqu'à la dernière goutte.

— Oui j'en ai déjà vu une fois Otis, mais restons sur vos Gédés si vous voulez bien.

— Je t'ai fait remarquer que le niveau de l'eau avait baissé l'autre jour et je crois qu'ils l'ont remarqué aussi, ils ont traversé le fleuve et maintenant ils s'en prennent à tous ces pauvres gens.

— Il se fait tard Otis, reposez-vous, nous verrons cela demain.

— Se reposer ? Mais il faut fuir Sam, il faut fuir.

— Non je ne fuirai pas, demain je retourne en ville, vous venez avec moi Otis ? Un silence de mort plana autour d'eux.

— Sam ? Intervint Hubert James, vous avez déjà entendu parler de ces sectes dans le Mississippi ?

— Oui vaguement.

— Eh bien ça veut dire, selon moi, que la Louisiane n'est plus une île et que vos Gédés ne sont pas des revenants, mais un ancien mouvement pseudo-religieux, le ku klux klan, ils prônent la suprématie blanche elle fait des raids en ville ou un truc du genre.

— Le Ku Klux Klan ? Merde alors !

— Ce sont les Gédés, surtout qu'ils sont une bonne trentaine pour ce que j'en ai vu.

— Une trentaine ?

— Des gens disent que c'est le révérend qui aurait pactisé avec eux.

— Ah non, c'est impossible.

— Il paraît qu'à l'enterrement de son épouse il a menacé…

— Je vous arrête tout de suite, il a disjoncté sous le coup de l'émotion rien d'autre, il ne ferait pas de mal à une mouche.

— Pour le révérend, je vous l'accorde ce sont des ragots, mais ces tarés c'est pas de la fiction, alors soyez prudente si vous allez traîner là-bas, remarquez, vous ne devriez pas craindre grand-chose, vous êtes blanche comme un linge.

— Eh bien demain nous en aurons le cœur net.

Hubert James se leva et invita Sam et Otis à le suivre, au milieu de ce que l'on pourrait appeler le petit salon, il décolla le vieux tapis du sol laissant entrevoir une large trappe dissimulée dans le plancher.

— Mon arsenal secret les enfants.

Sam regarda Otis d'un air grave, mais amusée en se répétant « enfant » :

— Mais, c'est bien une maison sur pilotis vous m'aviez dit ?

— Oui, en apparence car elle a été construite sur de la roche, l'eau est tout le tour, venez !

Précédés d'Hubert James, Otis et Sam descendirent l'échelle sur une bonne dizaine de mètres.

Il faisait noir, noir et humide au fond de ce trou. Hubert James craqua une allumette et à tâtons chercha une bougie dans une petite cavité dans le mur. Un petit couloir lui aussi sur quelques mètres menant la troupe à une salle intacte, du sol au plafond, tout était en béton, une multitude d'étagères s'offraient à eux.

— Faites votre choix les enfants, tonton Hubert James vous offre une assurance-vie, tiens pour la p'tite dame j'ai ce qu'il faut, tiens !

Il tendit à Sam un Smith & Wesson calibre 32 avec deux boîtes de cartouches, Otis lui refusa net le moindre armement.

— Et pourquoi ça mon ami ?

— Le grand Mwa n'aime pas les armes à feu.

— Le grand qui ? Merde, encore un accroc au vaudou, remarquez en Louisiane il fallait que je m'y attende, je n'insiste pas.

— Vous comptez vraiment y aller Sam ?

— Oui je dois aller voir par moi-même et aider ces pauvres gens s'il le faut, il faut aussi que je retrouve Maggy.

— Maggy ? La fille du révérend ? Et si les ragots sont vrais ?

— Ils ne sont pas vrais.

— Bon je n'insiste toujours pas, mais promettez-moi de rester sur vos gardes.

Elle n'avait pas l'habitude de manipuler une arme à feu, elle savait tirer, c'est sûr, mais elle n'avait pas de passion pour ces trucs, puis tout ce temps passé en Louisiane avait fait d'elle une tribale à peau blanche, Otis lui avait appris à manier les lames et les lances, elle chassait aussi facilement que le meilleur des chasseurs de la tribu, mais reconnaissons que sa lacune était la pêche, Otis suait sang et eau pour lui apprendre les rudiments.

Ils ressortirent du bunker et Sam se ralluma une cigarette.

— Vous ressemblez à ces filles sur les vieilles affiches d'avant-guerre.

— Pourquoi dites-vous ça Hub ?

— Ça doit être la cigarette, votre façon de la tenir, on dirait ces actrices que l'on voyait placardées sur les murs.

— Les murs ? Vous n'êtes pas du coin alors, parce que les murs sont assez rares ici.

— On ne peut rien vous cacher ma jolie, je suis originaire du Colorado, mais je peux vous poser une question euh, comment dire ? Personnelle ?

— Bien sûr, mais si elle ne me plaît pas vous n'aurez plus l'usage de vos doigts pendant de longues semaines.

— Bah au moins je suis prévenu, comment ça se fait qu'à votre âge vous ne soyez pas près de votre famille ?

— J'ai pas de famille enfin plus, ma mère est morte et ma sœur est, je crois, dans un bled au Nevada.

— Nevada ? Ça fait une trotte d'ici quand même et votre père ?

Le visage de Sam perdit son petit côté espiègle, Hubert venait de comprendre que ses doigts étaient en danger, il n'insista pas et se contenta de la regarder avec ce qui semblait être de la pitié.

Sam jeta sa cigarette dans l'eau.

— Je vais me coucher, bonne nuit.

— Bonne nuit.

Le lendemain, après deux heures de marche, Sam arriva enfin aux portes de Morgan City, elle avait largement pressé le pas, inquiète de ce qui pouvait se passer en ville, largement inquiétée par les colonnes de fumée qui en provenaient.

L'ex-île de Louisiane était à feu et à sang, était-ce le révérend qui continuait de faire traquer le moindre individu noir, métisse ou tout simplement quiconque qui oserait s'interposer entre lui et sa vengeance, elle refusait tout bonnement d'y croire.

Quoi qu'il en fût, la communauté de Morgan City avait été décimée. Elle ne pouvait que constater le pourquoi des colonnes de fumée provenant des huttes et cabanes de la ville. C'est au centre commercial que Sam se rendit compte de l'horreur qui était en train de se produire ici. Les anciennes boutiques qui servaient d'habitations aux plus chanceux étaient en cendres, le parking central qui faisait office de lieu de vie s'était transformé en lieu de mort pour ces pauvres gens. Les fanatiques cagoulés soi-disant à la solde du révérend tabassaient les hommes, les femmes et forçaient les enfants à regarder. Une fois incapable de se relever, ils les immolaient avec ce qu'ils trouvaient, Rhum, pétrole, ou tout simplement en les enroulant dans des restes de tissus imbibés d'alcool, les vieux réverbères d'une magnificence passée assumaient leur nouvelle fonction. Les cadavres se balançaient au bout d'une corde. Tous ceux qui n'avaient pu fuir se trouvaient là, entre les mains d'une milice de fous furieux xénophobes, certains tentèrent de se défendre tant bien que mal, ils furent abattus sur-le-champ. Elle espérait de tout cœur que des survivants avaient trouvé refuge dans les bayous.
Les plus lents et les plus faibles, eux, étant traqués comme des bêtes et exécutés.

Sam n'en croyait pas ses yeux. Comment ces « courageux » types cachés sous d'ignobles cagoules de lin pointues pouvaient s'en prendre à ces gens sans défense ?
Comment le révérend pouvait-il être l'instigateur de tout cela ? Abasourdie par cet enfer, elle ne remarqua pas qu'elle était devenue le centre d'intérêt d'une meute de ces déments. Elle retrouva ses esprits lorsque le premier coup de poing la heurta à la pommette droite. Le sang gicla sur la toge blanchâtre d'un des sectateurs. Elle n'eut pas le temps de réagir quand une pluie de coups de poing et de coups de pied se mit à pleuvoir sur elle. À terre, elle se contenta d'amortir les coups

du mieux qu'elle pouvait, ce n'était qu'une question de temps avant qu'une première cote ne soit cassée.

L'arcade ouverte, elle baignait dans son sang. Elle fut relevée par les cheveux et traînée jusqu'à un mât publicitaire vantant la qualité d'accueil des touristes en Louisiane.

— On va la pendre ici cette pute.

— Mais c'est une blanche !

— Elle est avec eux, alors on la pend.

— Ouais il a raison, si elle n'est pas avec nous c'est qu'elle est contre nous.

Le peu de force qu'il lui restait fut boosté par une violente montée d'adrénaline. Cette montée en pression l'effrayait, cela lui rappela le drame survenu du 112 lorsqu'elle était enfant avec Maria. Cette horrible sensation de haine qui prenait le dessus sur elle.

Elle releva la tête et se laissa tomber de tout son poids au sol, ses bourreaux ne purent la retenir. Surpris de cette initiative, elle eut quelques secondes de répit pour attraper une bouteille de verre vide qu'elle brisa parterre, sans réaction immédiate de leur part, elle taillada le talon d'Achille du premier type à sa portée. Elle put difficilement se redresser et avant qu'ils n'interviennent, entama un sprint de tous les diables.

Blessée, elle ne parvint pas à les distancer, elle fut rapidement rattrapée par les trois valides restants, elle fut plaquée au sol brutalement la sonnant sur le coup, le menton tuméfié, l'arcade et maintenant le nez saignait abondamment, quelques cotes brisées et l'épaule démise, elle perdit tout espoir de fuite. Elle ne réagissait même plus aux coups de pied qui la martelaient sans cesse, se protégeant de son seul bras valide ; elle commença à perdre connaissance. Son bras retomba lourdement au sol, une violente douleur lui fit rouvrir les yeux, sa main s'était littéralement empalée sur une planche cloutée, vestige des cabanes de fortune démolies par les sectateurs. Elle observa le clou rouillé qui dépassait du creux de sa main d'une bonne dizaine de centimètres, elle avait la tête qui tournait.

L'un d'eux se pencha sur elle.

— On la tient les gars, alors on la pend ou on lui fout le feu ?

— Foutons-lui le feu, qu'est-ce que vous en pensez ?

Les deux autres n'en demandèrent pas moins. Sam complètement dans les vapes, perçut une voix se distinguer parmi les autres.

— Ooooooh, bien le bonjour ma jolie.

Un noir gigantesque se tenait devant Sam, tout semblait figé autour de lui, il dépassait d'environ trois ou quatre têtes le plus grand de ses bourreaux, il mesurait probablement plus de deux mètres trente. Flanqué d'un costard noir à rayures tout droit sorti d'on ne sait où et surtout quand. Son visage grossièrement peinturluré en blanc et un haut-de-forme noir très poussiéreux, il ne cessait de gesticuler dans tous les sens ce qui pouvait paraître amusant vu sa corpulence de brindille. La première sensation que Sam éprouvait en le voyant était de le frapper encore et encore pour qu'il arrête ses mimiques qui devenaient de plus en plus explicites, mais elle ne pouvait plus bouger et encore moins parler.

— Bien le bonjour ma jolie, dit-il en mimant un coït de façon surjouée à l'extrême.

Quel dommage de nous connaître dans ces circonstances, tu vois Samantha, tu seras bientôt chez moi ! Aucun dieu des blancs ne veut de toi, mais je ne veux pas de toi non plus, il est trop tôt, ma pimbêche de femme a tenté de te prévenir Samantha. La mort sera de partout et tu seras son épicentre.

Sam ne bougeait pas, effrayée par la situation, à part Otis presque personne, ne l'avait jamais appelé Samantha, au plus profond de sa mémoire, elle n'était même plus persuadée que son prénom était Samantha. Aucun souvenir de sa mère l'appelant comme ça, ni de Maria, mais n'ayant d'autre possibilité elle observa l'étrange manège de cet énergumène.

Il tirait habilement sur un Cubain, le coup d'après, il crapotait, dans l'autre main, une bonbonne de rhum qu'il portait goulûment à la bouche pour en savourer le précieux nectar, il s'arrêta net et regarda Sam, s'en suivit un curieux monologue sous les yeux perdus de Sam.

— Oh non non non ma jolie, même pas en rêve et ne dit pas à ma femme que j'ai trouvé du rhum. Et ne joues pas à ça avec moi, tu n'en auras pas, j'en ai besoin tu sais et en général tous ces pauvres malheureux que tu voies... là... je leur en offrirai bien une petite goutte lorsque nous irons de l'autre côté, mais toi tu ne viens pas ma jolie.

Il se remit à danser de façon frénétique et s'arrêta de nouveau.

— Bon voilà ce que je te propose, je t'accorde le droit de crapoter mon splendide cigare ma jolie. Le géant se pencha et le colla entre les dents de Sam.

— Alors ma jolie, heureuse ? Oh pardon ma jolie, je manque à toute galanterie.

Le géant, le sourire aux lèvres, la regarda. Elle ne percuta pas comment cette allumette arriva dans sa main, mais lorsqu'elle réalisa, le type avait disparu. La bonbonne de rhum se déversait au sol.

Sam la regarda, ses bourreaux étaient là. Par accident, l'un d'eux venait de la faire basculer à ses pieds tandis que les deux autres l'observaient en maintenant Sam au sol.

Elle balança sa main ensanglantée au visage d'un des types accroupi, le clou lui transperça la tempe instantanément. Il s'effondra sur la flaque d'alcool qui éclaboussa les autres, Sam roula sur le côté et craqua l'allumette sur la lanière de son sac à dos.

— Messieurs, bon barbecue.

Sans la moindre empathie ni réaction, Sam les regarda s'embraser. Il fallait les voir, gesticulant dans tous les sens, hurlant des choses incompréhensibles avant de succomber dans une douleur des plus atroces. Elle prit ses jambes à son cou, traversa la route et disparut à l'orée des marais. Elle courut, complètement désemparée et sans jamais se retourner comme si le diable était à ses trousses. Les branches lui fouettaient le visage et les jambes, les vicieuses ronces ne cessaient de lui déchirer de petits lambeaux de peau, elle ne se rendit pas compte qu'elle courait désormais pieds nus, ses sandales lors de sa course folle avaient été perdues, sûrement dans une flaque de boue.

Hors de portée d'un quelconque assaillant, sous le coup de la douleur et de l'épuisement, elle ralentit jusqu'à s'effondrer au pied d'un grand magnolia où elle finit par s'évanouir.

Quelques minutes plus tard, ou peut-être même une heure, Sam fut réveillée par un petit grognement. Elle s'adossa tant bien que mal contre le magnolia, mais rien ne se laissa distinguer à travers son environnement. Le grognement s'intensifia et tout droit sorti d'un bosquet, un chien léopard se retrouva nez à nez avec elle, écartant les pattes de devant comme pour bondir, il fixa Sam en grognant de nouveau.

— Calme-toi, je ne vais pas te faire de mal alors toi non plus tu ne vas pas me faire de mal, c'est compris ?

N'ayant pas la force de s'enfuir, elle tenta d'amadouer la bête afin de ne pas se faire égorger par ses canines acérées.

Sa main valide se tendit dans sa direction, il grogna de plus en plus fort, mais se calma pour renifler sa paume.

Elle tenta de lui toucher le museau en vain, il fut réticent, mais à la troisième tentative, il se laissa faire.

— T'es mignon toi le chien, hein que t'es beau !

Elle lui caressa la truffe, puis remonta sa main sur son museau et commença à le gratter entre les oreilles.

— Attends, je crois que j'ai quelque chose pour toi. Calmement, elle retira sa main pour la porter à sa besace.

Elle fouilla dedans et en sortit un petit sac rempli de viande séchée que le chien s'empressa d'engloutir en quelques bouchées seulement. Sam le regarda longuement, il n'avait pas l'air bien vieux ce chien, gris clair avec une multitude de taches noires et blanches, ce type de chien était courant dans les bayous, Sam et Otis en voyaient régulièrement, en général ils servaient de nourriture ou étaient dressés pour la chasse, dans ce cas Sam ne souhaitait pas inverser les rôles en devenant le casse-croûte de celui-ci. Heureusement qu'il n'était pas encore dans la fleur de l'âge. Il pensait plus à jouer qu'à chasser. Un chien mâle adulte l'aurait attaqué par-derrière et l'aurait saigné avant qu'elle ne puisse réagir. Lorsqu'elle comprit qu'elle ne risquait plus grand-chose avec le chien, et avec tout le courage nécessaire pour le faire, elle retira le clou et son bout de planche de sa main ensanglantée. Son hurlement se fit entendre à des kilomètres à la ronde. Il fallait qu'elle bouge au plus vite, si ces types la poursuivaient, ils l'auraient probablement entendue et surtout depuis combien de temps était-elle dans les vapes ?

Elle pansa sa blessure en déchirant un morceau de plus de son paréo, qui commençait à devenir de plus en plus court, réinventant la minijupe d'après-guerre. Elle l'imbiba avec un fond de bouteille de rhum et l'enroula autour de sa plaie, elle serra les dents si fort qu'aucun bruit ne sortit de sa bouche quand l'alcool entra en contact avec la plaie.

Était-ce la douleur ? Sam pleurait de toute son âme, cette âme qui était soumise à rude épreuve ces temps-ci. À peine eut-elle le temps de reprendre ses esprits, elle entendit des bruits de branches cassées non loin de là, ce bruit si typique de quelqu'un ou quelque chose qui souhaite rester discret en avançant. Le chien léopard huma l'air et s'enfuit n'oubliant pas son dernier morceau de viande séchée. Sam se dépêcha de charger à une main son calibre 32, puis se hissa douloureusement sur ses jambes. Pieds nus, sa vitesse de déplacement était faible, trop faible, quelqu'un la suivait c'est évident. On commençait à ne plus distinguer les arbres de leurs ombres, le soleil était bas.

L'obscurité serait là dans à peine une heure. Sam réalisa qu'il lui fallait trouver un refuge rapidement pour être à l'abri à la nuit tombée, mais avant cela, elle devait coûte que coûte, semer son poursuivant, ses poursuivants ?

Elle pressait le pas au maximum essayant de rester la plus discrète possible. Elle évitait tant bien que mal les branches tombées au sol, mais sans succès, elle était encore bien trop bruyante. « Il » se rapprochait lorsque Sam esquiva de justesse un trou de vase, elle avait de l'eau jusqu'aux chevilles. Elle arrivait dans une zone de marais plus profonde, c'était beaucoup trop dangereux pour elle, elle entreprit de grimper le plus haut possible dans un saule. Là-haut, au moins, l'obscurité la protégerait des alligators et des mocassins, mais pas des chauves-souris vampires qui, à la nuit tombée partaient en chasse pour s'abreuver de quelques insouciants en balade nocturne, cinq ou six de ses monstres suffisaient à vider un homme de quatre-vingts kilos de son sang, alors imaginez bien combien en fallait-il pour une pauvre fille qui pesait à peine cinquante kilos.

Elle aperçut la silhouette de son poursuivant, il paraissait seul. Elle se tenait prête à bondir sur lui lorsque, à quelques dizaines de mètres, juste derrière elle, un bruit de branche cassée saborda son projet. Il s'ensuivit d'une immense retombée d'eau qui la fit sursauter, un horrible hurlement prolongea le bruit de l'eau, puis plus rien. Sam comprit alors qu'ils étaient bel et bien plusieurs.

L'un de ses poursuivants n'était plus, un alligator, sans doute, avait eu raison de lui. Ces créatures étaient de véritables machines de mort. Combien de distraits leur sautait carrément sur le dos en croyant qu'un tronc d'arbre se trouvait là par miracle pour leur éviter les sangsues ou tout simplement d'être trempé jusqu'aux os. En tout cas, Sam pouvait remercier celui-ci.

Elle resta silencieuse et observa la scène, trois autres types se ruèrent pour aider leur camarade, mais il était trop tard, la bête avait déjà emmené sa proie quelque part au fond du marais, avec un peu de chance il était mort sur le coup sinon c'est la noyade assurée, ce que les alligators aimaient tout particulièrement, c'était d'enchevêtrer leurs proies au fond de l'eau, dans des branchages qui les empêcheraient de remonter à la surface, les laissant quelques jours mariner tranquillement au fond de l'eau ainsi ils pouvaient par la suite faire un copieux repas en puisant dans leur garde-manger pour compenser les jours de chasse infructueux.

Elle continua de les observer du haut de son arbre.

— Merde ça devient dangereux, on devrait rebrousser chemin.

— Et pour la fille ?

— Quoi la fille ? Si on continue dans ce bourbier, on va tous finir dans l'estomac d'une bestiole.

— OK, mais franchement, si on lâche l'affaire on va faire comment pour la retrouver ?

— Écoute, là j'en ai plein le cul, il faut la retrouver, elle, ou ce putain de village indigène.

— Ouais, mais ces nègres sont introuvables, concentrons-nous sur la fille, elle sait où il est.

— Elle a dû aller se planquer plus à l'Est, il n'y a que de la flotte ici, au Nord, à l'Ouest c'est pareil.

— Ouais bon, on continue, mais si on trouve un abri entre-temps on se reposera un peu et on trouvera ce putain de bouquin demain.

Elle les regarda s'éloigner, puis redescendit prudemment du saule, elle les perdit rapidement de vue puis se retrouva complètement égarée dans le bayou.

Un peu plus tard, après quelques dizaines de minutes à parcourir les marais de nuit, elle arriva près d'une gigantesque masse métallique, l'obscurité totale ne lui permettant pas de distinguer quoi que ce soit. Elle escalada tant bien que mal la structure et, se pensant à l'abri pour la nuit, sur le point le plus haut de cet objet non identifié, elle s'assied et bue une grande gorgée de rhum. Cela ne lui permit pas de lutter contre la soif ni la faim mais l'aida à accepter la douleur de ses multiples blessures. Elle réfléchit un moment au pourquoi du comment. Pourquoi ces types débarqués du nord s'en prenaient à ces pauvres gens ? Et qu'était-ce donc cette histoire de livre ? Sous le coup de l'épuisement, elle sombra rapidement dans un lourd sommeil, sa bouteille de rhum à la main.

— Rebonjour jolie demoiselle.

Sam ouvrit les yeux, elle était debout sans avoir le souvenir de s'être levé, les yeux rivés sur le même énergumène qui l'aida lorsqu'elle se faisait molester par les fous furieux de la place du marché. Il était là, toujours là, même façon de gesticuler, obscène et provocatrice, le sourire aux lèvres, découvrant ses dents blanches, son maquillage grossier, dansant sur une musique imaginaire. Elle voulut parler, mais encore une fois, aucun son ne sortit de sa bouche.

Il s'arrêta net. Ses yeux injectés de sang, l'abus de rhum y étant sûrement pour quelque chose, se fixèrent dans les yeux de Sam, son sourire s'effaça, la fumée de son Cubain dansait dans le vide.

Elle la remarqua, la fumée, elle dansait autour de rien sans se dissiper dans l'air, elle voyait ce type, mais ne distinguait rien d'autre autour de lui, où était-elle ? Sous ses pieds la carcasse de métal n'y était plus, pas d'arbres non plus, elle n'avait même plus l'impression d'être dans les bayous.

L'homme s'approcha en dansant au ralenti.

— Samantha ! lui souffla-t-il à l'oreille.

L'haleine de l'homme empestait le rhum et le tabac froid.

— Ou dwe pwoteje liv la (mais de quoi il parle ? Qui c'est ce gus ?)

— Ou dwe pwoteje liv la Samantha, sèlman yon zanj nan lanmò gen dwa mete fen li (c'est quoi cette histoire de livre, je suis en train de rêver).

— Pwoteje Liv moun ki mouri a (c'est quoi ? c'est une blague)
— Ofans Sakre.

Elle poussa un cri. Elle était de nouveau assise sur la carcasse de métal, transpirante et effrayée.
— Un rêve bordel, j'ai fait un rêve. Un putain de rêve à la con.

Elle resta un peu perdue, puis s'adossa contre la paroi métallique, les claquements de becs qu'émettaient les pélicans bruns au loin indiquaient que le petit matin n'allait pas tarder à montrer le bout de son nez, comme eux, Sam avait faim. Les premiers rayons du soleil commencèrent à la réchauffer péniblement, petit à petit, le jour naissant dévoila son promontoire. Sam venait de passer la nuit sur la carcasse d'un énorme Douglas C124 Globemaster de l'US Army. Crashé au beau milieu du bayou, cet avion avait quasiment disparu, littéralement avalé par la végétation en essor des marais, Sam, à découvert sur le dos de la bête d'acier, se fraya un chemin jusqu'au cockpit.

Sa surprise fut totale, les deux pilotes, patriotes jusqu'au bout des ongles étaient toujours fièrement à leurs postes respectifs. Elle ne toucha pas aux squelettes, mais se dirigea hypnotiquement vers la petite boîte rouge à la croix blanche toujours accrochée près de la porte du poste de pilotage, elle crocheta délicatement la serrure en faisant levier avec un bout de ferraille provenant d'un quelconque bout de la carlingue. Miracle, la boîte de secours était encore pleine. Elle s'excusa poliment auprès du copilote et libéra le siège de feu son occupant. Installée confortablement, elle désinfecta ses plaies puis, faisant un pansement à sa main blessée, elle remarqua que les squelettes portaient encore leurs chaussures. Sans la moindre hésitation ni remord, elle dépouilla un cadavre de ses rangers, le reste des vêtements était inutilisable, les pilotes avaient été criblés par les déchets que le crash avait projetés sur le cockpit faisant voler les vitres en éclats, de toute façon Sam était bien plus grande que les pilotes et vu l'état du reste du matériel, cela n'aurait pas été d'une grande utilité pour elle.

Son pansement terminé et ses bottes enfilées, elle s'exhibait fièrement sur le dos de l'avion profitant maintenant d'un généreux soleil, elle admirait ses belles chaussures lorsqu'une gerbe d'étincelles jaillit devant ses pieds, suivie de la traditionnelle détonation qui résonna au loin. La balle n'était pas passée loin. Pour éviter que la prochaine ne résonne dans son corps, elle sauta de son perchoir au risque de mal négocier son atterrissage.

Quatre hommes cagoulés surgirent au pied de la carlingue.

— Elle est là, chopez-la cette tribale de merde et vivante si possible.

Les trois autres se ruèrent à sa poursuite. Sam, qui regagna de l'avance rapidement, ne mit pas très longtemps à les distancer. Elle tourna en rond sur quelques kilomètres afin d'être sûre que ses poursuivants ne soient plus sur ses talons puis elle reprit le chemin de la maison d'Hubert James.

Otis et HJ auraient sûrement une explication à lui fournir. Elle eut un peu de mal à retrouver son chemin, mais le soleil monta vite dans le ciel ce qui lui permit aisément de se diriger à travers les marais. Malheureusement, elle fut rapidement guidée par les flammes qui s'échappaient de la boutique de pêche, les sectateurs avaient réussi à trouver l'endroit, comment ? C'est un mystère.

Elle tourna autour du brasier à la recherche de quelques indices, elle fut soulagée de ne voir aucun cadavre, ni celui d'Otis, ni celui de l'étrange Hubert James.

— Eh bin, la voilà, les mecs.

Sam se retourna ; ils étaient là, les types de cette nuit, dégainant rapidement son 32, les deux mains sur la crosse, elle les visait chacun leur tour avec hésitation.

— Bougez pas !

— Tu fais quoi là ? Tu ne sais même pas t'en servir.

— Vous voulez vérifier ? C'est pas un problème.

Elle sera si fort le revolver que sa main se remit à saigner.

Elle bascula le percuteur, prête à tirer, elle n'en menait toutefois pas large.

— Sans rire ma belle, donne-moi ce flingue avant de te blesser, on veut juste parler avec toi.

— Et moi aussi, pourquoi vous cherchez ce livre ?

— Bingo les gars, on a même plus besoin de trouver le village des nègres, mais dis-moi ma jolie ?

— Comment se fait-il que tu sois au courant pour le livre ? Les négros te font confiance ?

— Et oui ! Alors si je vous dis où il est, vous partez ?

— Évidemment, nous n'aurions plus aucune raison de rester, tu sais nous on a rien contre eux, on, veut juste le bouquin.

— Alors OK, il est là !

— Comment ça là ? Tu l'as sur toi ?

— Non pas sur moi, mais tout près.

— Accouche bébé, il est où ce bouquin ?

— Il faut attendre, il est sous la maison, il y a un passage en dessous, au fond de ce passage il y a une petite pièce, mais il faut attendre que le feu s'éteigne, vous avez tout fait cramer.

— Ah merde alors, remarque, s'il est là on a le temps, mais attention s'il n'y est pas je bute ton petit minois d'ange, compris ?

— Compris, mais pourquoi mentirais-je ? Pour protéger des nègres comme vous dites ? Soyons sérieux, moi je veux juste rester en vie c'est tout. Vos histoires ne m'intéressent pas.

— Heureux qu'on soit sur la même longueur d'onde tous les deux, mais on pourrait te buter tout de suite.

— Bien sûr que non ! Imaginez cinq minutes ; si le livre n'y est pas, vous l'aurez dans l'os. Sam baissa son arme, un des sbires s'empressa de le récupérer.

Leur chef, un type de la cinquantaine, corpulent, voire gros, s'approcha de Sam. Il essuya du revers de sa manche la sueur qui perlait sur son visage. La sueur venait se rajouter à l'embrun de crasse et d'alcool de sa vieille chemise à carreaux bleue et blanche.

Peu méfiante, ou très naïve, Sam reçut la crosse du fusil en plein dans les côtes, elle chuta à genoux sous l'impact. Elle peinait à respirer.

— Espèce d'enculé.

— J'ai dit qu'on te buterait pas, j'ai pas dit que tu serais encore entière ; attachez-la les mecs !

— Toi je te briserai les deux jambes, sale con.

— Elle est sauvage la petite, hummmm moi j'aime bien les filles qui ont du caractère.

Elle se retrouva ligotée au pied d'un arbre. Au final, la situation l'amusait beaucoup, il fallait voir ces abrutis faire des pieds et des mains pour éteindre l'incendie. Du bout du pied, elle tenta de rapprocher le sac à dos de l'un d'entre eux resté à terre et négligemment laissé à portée de ses longues jambes sur la rive.

Elle n'arrivait que difficilement à tirer le sac près d'elle, elle fouilla dans sa chaussure et extirpa son couteau, le coinça entre ses pieds et coupa ses liens tout en prenant garde de ne pas se faire surprendre. Les sectateurs étaient bien trop occupés à maîtriser l'incendie même si l'humidité environnante avait vite calmé les flammes.

Les mains libres, elle rangea discrètement le couteau et entreprit de fouiller le sac à dos qui par miracle contenait quelques vieilles rations de pain et une gourde de soupe, elle s'empressa de faire un copieux repas lorsque l'un des gars la vit en train de vider leurs rations tranquillement.

— Hé pétasse ! Qu'est-ce que tu fous, laisse ça, t'as compris !

— Bin j'avais faim et vous voir bosser avec une telle vigueur, soyons honnêtes : ça creuse, mais maintenant ça va mieux.

Cette fois-ci, préparée à recevoir un coup, Sam anticipa la botte cloutée et la saisit au vol, la repoussant violemment, il perdit l'équilibre et finit sa course dans la flotte. Elle ne put amortir longtemps les coups de poing et de pied des autres protagonistes venus à la rescousse.

Une bonne heure plus tard, le feu était éteint, ils peinaient tels des esclaves en déblayant les restes de la bicoque.
— Regardez ! Elle avait raison, il y a une trappe là.
— Allons-y ne perdons pas de temps.
— Mais on la laisse ici ? Et si elle se barre de nouveau ?
— Joe va t'occuper d'elle, va la buter et rejoins-nous.
— OK j'y vais.

Les trois hommes s'engouffrèrent dans le passage encore fumant, laissant Sam à son destin en compagnie de ce type.
— Dites ? Sans rancune pour tout à l'heure hein ?
— Ta gueule.
— Vous n'allez pas me tuer hein ? Dites ? rétorqua-t-elle avec de grands yeux de biche.
— Si, mais j'ai un petit programme pour toi avant.
— Ah cool et c'est comment votre petit nom Joe ?
— T'as pas besoin de le savoir.

L'homme posa son fusil sur une souche et s'approcha d'elle avec un sourire qui transpirait la perversion.
— Excusez-moi, je suis attaché là, vous comptez vous y prendre comment ?
— T'inquiètes pas pour moi.

Elle roula sur le côté et essaya maladroitement de se relever.
— Merde vous avez entendu ?
— Ça ne marche pas avec moi ces conneries.
— Non non j'rigole pas.

50

Sam sautilla jusqu'au ponton.

— Je vous jure, j'ai entendu appeler.

Il la chopa par les poignets et la bascula sur son épaule tel un vulgaire sac de patates.

— Comme ça je suis sûr que tu ne te feras pas la belle ma jolie.

Arrivé devant la trappe, il se pencha par-dessus.

— Hé oh ? Vous avez besoin d'aide ? Vous m'avez appelé ?

Sam, d'un coup de rein bien placé, bascula en avant et tomba au sol, amortissant sa chute par une roulade.

— Hé mais qu'est-ce que tu fous ?

Elle se plaqua au sol toujours pieds et poings liés, l'homme se pencha sur elle et avec toute la force qu'elle pouvait mettre dans ses jambes, propulsa le type en arrière qui se retrouva en équilibre au bord de la trappe.

— Je sauve ma peau connard !

Incapable de se stabiliser, il bascula et comme Sam l'avait espérée, il dégringola directement dans le trou, elle referma la trappe puis du regard chercha de quoi la lester pour pouvoir s'enfuir, assise dessus elle sectionna ses liens et encombra la trappe de diverses poutres, planches et débris de meubles.

— Voilà ça devrait les retenir un bon moment.

Elle se remit en route pour le village d'Otis tout en massant ses poignets endoloris. Le village était largement isolé sur ce qu'on pouvait appeler la péninsule de Bateman Island tout au sud.

Elle devait à tout prix savoir si Otis s'en était sorti, qui mieux que lui pouvait lui expliquer cette histoire de livre et surtout pourquoi ces types n'hésitaient pas à tuer pour l'avoir. Elle pensait également le questionner sur ce type qui hantait ses rêves.

Elle marcha plusieurs heures pendant lesquelles elle redoublait d'efforts afin de ne laisser aucune trace derrière elle. Le soleil avait, depuis un moment, passé son zénith lorsqu'elle arriva sur la quatre-vingt-dix, prudente, guettant la moindre anomalie avant de s'y engager. Le fait d'emprunter une route bitumée encore largement praticable ; à pied seulement, elle pouvait gagner une bonne heure à condition de ne pas faire à nouveau de mauvaises rencontres.

Ces types ne pouvaient pas se trouver à tous les endroits à la fois, mais depuis le début de cette histoire elle n'avait pas vraiment eu de chance.

Quelques kilomètres plus loin elle regagna la forêt en direction du Sud, elle n'arrivait plus à contenir son angoisse d'être ainsi à découvert et préféra perdre un peu de temps plutôt que de tenter le diable.

Elle marcha à nouveau en terrain familier, Sam connaissait bien la partie sud de la quatre-vingt-dix qui coupait Bateman Island en deux, se déplaçant machinalement entre les bosquets, branchages, trous d'eau et autres obstacles, elle se perdit dans ses songes.

— Tu rigoles j'espère ?

— Non je suis très sérieuse.

— Et tu veux aller où ?

— Je pensais retourner à l'Ouest ?

— L'Utah c'est du passé ma grande, laissons les souvenirs derrière nous.

— J'ai de bons souvenirs, moi, là-bas et toi non ?

— Pfff quoi de bon ?

— Tu sais Sam, je pense que tu essaies de fuir, mais il faut que tu comprennes que rien ne te poursuit. Tu sais, Papa, Maman ; ils ne reviendront pas, je l'ai bien compris, mais nous devons faire nos vies maintenant.

— Qu'essaies-tu d'insinuer là ? Tu veux me laisser ? C'est ça ?

— S'il le faut, je le ferai, oui. Moi j'aimerais me trouver une maison, même si je dois me la fabriquer, rencontrer quelqu'un, fonder une famille.

— Fonder une famille ? Morte de rire.

— Et pourquoi « morte de rire » ce n'est pas ton rêve ?

— Oui t'as raison, je compte les petits amis par milliers comme toi.

— Te moques pas Sam, tu n'as jamais voulu de copain sinon je peux t'assurer que tu en aurais eu plein.

— Vas-y ! continue ! fous-toi de ma gueule.

— Pas du tout, c'est ton côté solitaire et renfermé qui faisait peur aux garçons, regarde ! On nous prenait tout le temps pour des jumelles alors des petits copains on aurait dû en avoir autant.

C'est vrai que tu es très jolie Maria : pensa Sam esquivant une branche basse.

Les souvenirs de Sam remontaient un à un à la surface, c'est vrai que les gens les confondaient souvent. Elle esquissa un petit sourire en se rappelant le jour où Maria était malade. Elle s'était habillée et coiffée de la même façon pour pouvoir embrasser le « chéri » de sa sœur, lui, il était tombé dans le panneau, du haut de ses huit ans, Sam connut son premier bisou ainsi qu'une fracture du petit doigt lorsqu'elle eut connaissance de cela.

Une main se plaqua fermement sur la bouche de Sam, l'empêchant d'émettre le moindre son. Instinctivement, elle essaya de décoller cette énorme main de sa bouche, la pauvre Sam avait bien trop peur pour pleurer et bien trop peu de force pour lutter.

— Chut ma jolie, ne fais pas de bruit, c'est moi, Hubert James. Il relâcha son étreinte lentement.

— Putain, mais merde, sale con j'ai failli me pisser dessus.

— Ch'ui désolé, mais…

— Y a pas de « mais » j'ai failli vous buter, vous le savez ça ?

Hubert James ne put s'empêcher de rire.

— Me tuer ? Mais vous n'êtes pas une tueuse, ça se voit au premier coup d'œil, vous jouez les durs c'est vrai, mais tuer de sang-froid ? J'ai du mal à le croire.

— Eh bien, méfiez-vous quand même, j'ai déjà descendu trois de ces malades.

— Trois ? Toutes mes félicitations, mais merde que s'est-il passé ?

— C'était eux ou moi, point.

— OK, bon, nous avons dû nous barrer avec votre copain Otis, ils ont attaqué ma maison, nous n'avons rien pu faire, ils nous ont pris par surprise.

— Je le sais, j'en viens et Otis ? Où est-il ? Il va bien ?

— Oui oui, ne vous inquiétez pas.

Otis surgit d'un bosquet comme un diable d'une boîte.

— Je suis la 112.

— Merde Otis c'est quoi ce bordel ? Ces types me cherchaient.

— Te chercher 112 ? Et pourquoi toi ?

— Ils cherchent ton village.

— Mais, que le grand Mwa me vienne en aide, pourquoi ils cherchent le village ?

— J'ai pas tout pigé, ils cherchent un livre, je crois et j'ai l'impression que tu en sais beaucoup à ce sujet.

— Moi ? Non je ne vois pas de quoi il s'agit.

— Le livre d'Ofans Sakre, par exemple.

— Le…

— Je le savais Otis, crache le morceau vieux débris, je te signale qu'à cause de ce bouquin j'ai dû buter trois mecs, je me suis fait traquer comme une bête à travers l'île, c'est quoi ce livre de merde que je ne connais même pas.

— C'est un livre sacré, mais il ne faut pas en parler, ce livre est maudit, les Gédés y conservent ce qu'il reste de leur vivant.

— Pardon ?

— Oui, mais c'est une légende, il n'existe pas ce livre, lorsque les âmes offensées des anciens ont été recueillies par le baron, ils sont devenus les Gédés, leurs noms sont inscrits dans le livre et celui qui pourra lire les noms inscrits dessus pourra les contrôler les Gédés, rajouta Hubert James.

— Mais seul le baron en a le droit, personne d'autre, conclut Otis. Comment savez-vous cela Hubert James ?

— Je suis cultivé mon cher, et puis ça fait partie des légendes locales.

— Mais Sam ; qui t'a donné le nom de ce livre maudit ?

Sam resta indécise, devait-elle raconter ses rêves à Otis au risque de cautionner ces histoires à coucher dehors ?

— Déduction logique, ou pour être franche j'en ai rêvé.

— Comment ça rêvé ?

— Un grand black tout sec, obsédé sur les bords avec haut-de-forme et à moitié bourré, il empestait le rhum à dix mètres.

— Tu délires 112, tu as mangé un truc pas frais.

— Pourquoi ? Je suis pas folle et puis je l'avais déjà vu à Morgan City lorsque ces types m'ont tabassé.

— Que s'est-il passé en ville Sam ?

— Bin ces types étaient en train de me passer à tabac lorsqu'il est apparu, il m'a donné une allumette.

— Comment ça une allumette ? répondirent en chœur Otis et Hubert-James.

— Oui une allumette, sur le moment j'avais pas compris, mais lorsqu'un des types a renversé accidentellement la bonbonne par terre, ça a dégénéré en barbecue et Zou les types ont flambé.

— Ce type 112, c'est le baron.

— Le baron de vos histoires de dingues ?

— Oui le baron Samdi, le roi des Gédés, ce n'est pas possible Sam.

— Il m'a même parlé, il m'a dit que je ne devais pas mourir parce que je devais protéger l'Ofans Sakre. Hubert James intervint un peu largué par la conversation.

— Dites ! Nous devrions continuer avant de nous faire choper.

— Vous avez raison Hubert, allons au village.

— Une minute les gars, Otis ? Dites-moi la vérité, il existe ou pas ce putain de bouquin ?

— Oui 112, il existe bel et bien, il est caché en lieu sûr, rassure-toi, mais je doute que ce livre ait un quelconque pouvoir magique.

— Ces types seraient donc si crédules ? Ils massacrent des gens à cause de ça ? D'un livre bidon ?

— Ce n'est pas un livre bidon, mais tu as raison sur un point, il est pour nous un héritage de nos ancêtres, le baron ne laisserait pas une chose aussi dangereuse traîner de par le monde.

Sam, Otis et Hubert James reprirent la route du village, malgré le danger qui les attendait là-bas. Sam se surprit elle-même à s'impatienter de retrouver Olok le petit-fils d'Otis, elle était contente, contente, mais un peu mélancolique, elle appréciait honteusement le fait qu'elle plaisait à Olok, mais d'un autre côté, elle ne comprenait pas qu'un homme s'intéresse à elle, hormis quelques pervers qui traînaient ici où là et qui ne voyaient en elle qu'un désirable bout de viande. Elle se souvenait encore du jour où avec Maria, elles s'étaient vu offrir une superbe maison d'environ 40 mètres carrés avec vue sur la décharge de produits toxiques des frères Willy.

Elle repensa à la scène encore amusée quant à la réaction de sa sœur.

— Alors les filles, vous n'imaginez pas ce que des types seraient prêts à payer pour mettre des jumelles aussi bo... euh jolies que vous dans leur lit.

— Vous insinuez quoi là ?

— Je crois qu'il veut devenir notre maquereau.

— Un maquereau ? Pourquoi vous voulez devenir un poisson ? C'est ridicule.

— Pardon ma jolie ? Qui veut devenir un poisson ?

— Non Maria, le monsieur veut qu'on loue notre cul et que lui ramasse le pognon.

— Ah ouais ? Tu déconnes Sam ! Et pourquoi on lui filerait le fric qu'on gagnerait ?

— Parce que c'est un maquereau ! sinon il va nous tabasser, ou pire, enfin un truc comme ça.

— Vous vous foutez de ma gueule pétasses ?

Sam n'eut pas à lever le petit doigt, une scène de pure science-fiction se déroulait devant ses yeux ; Maria venait de faire une clef de bras à l'homme-poisson et lui tira la tignasse graisseuse en arrière.

— Sachez monsieur le poisson que je ne vends pas mon cul, je l'offre à qui je veux, mais le fait que vous soupçonniez en nous d'être des moins que rien fait que je ne vous apprécie guère.

Le type tentait de se libérer et poussa un hurlement.

— Argggggg salope, tu m'as pété un doigt.

— Ah désolée !

— Aaaaaaahhhhhhhhhhh !

— Ah zut dis donc, tu es fragile un deuxième vient de casser.

Sam n'en pouvait plus, voir sa sœur ainsi tenait du jamais vu ; elle, qui d'habitude si réservée et sans aucune once de méchanceté : la voir brutaliser cet abruti la choquait, mais l'amusement et la surprise firent qu'elle n'osa intervenir, ce n'est qu'au quatrième doigt cassé qu'elle remonta les joyeuses du maquereau d'un grand coup de genou, l'homme à terre gémissait, fini les insultes et les menaces, il restait concentré sur ses parties endolories.

Sam restait en retrait, précédée d'Hubert James et d'Otis, leur périple à travers les bois se passa sans encombre, ils ne marchèrent pas loin d'une heure lorsque Hubert James brisa le silence.

— Otis ?

— Oui !

— C'est encore loin ? Parce que là, je ferai bien une pause, j'ai mal aux pieds.

— Le blanc n'a pas l'habitude de marcher dans les marais et dans les bois, le grand Mwa doit s'amuser de te voir ainsi souffrir.

— Dites ? C'est quoi le grand Mwa ?

— C'est un truc vaudou mon cher, vous êtes en Louisiane et vous ne maîtrisez pas la culture vaudou ?

— Ne blasphème pas 112, le grand Mwa n'est pas un truc, c'est le dieu des dieux, le seul arbitre capable de décider de chaque chose, il tempère également les discordes entre les Gédés.

— Ah oui je comprends un peu mieux, mais dites-moi Sam, vous ne croyez pas au culte vaudou ?

— Moi non, ce vieux débris me saoule tellement avec ça, un manque de chance c'est un Gédé qui te fait une blague, un coup de bol ? Tu es sous le bon œil de Mwa, il y a toujours un truc.

— Je ne te permets pas 112, t'entendre parler ainsi, alors que Samdi t'a rendu visite, par deux fois.

— Pffff ça ne change rien, l'épuisement, le stress, j'ai eu une hallucination. C'est de votre faute je suis sûre.

Sam balança cette phrase sans trop de conviction, elle avait un doute assez raisonnable, mais refusait d'admettre à Otis que, peut-être, il y avait quelque chose, quelque part, de surnaturel dans ces marais.

— Vous êtes croyant, vous, Hubert ?

— Non ça fait bien longtemps que j'ai perdu ma foi, en fait depuis le décès de ma femme il y a dix ans de cela, mais bon, vu que personne n'a de pitié pour mes pauvres pieds et que nous ne faisons pas de pause, je préfère marcher en silence si ça ne vous dérange pas.

— Désolé pour votre dame, Hubert, moi ce qui m'arrangerait, c'est que : Si Otis pouvait en faire de même et la fermer.

Otis s'arrêta net.

— Chut 112 !

— Ça y est ? Il est…

Otis plaqua sa main osseuse sur les lèvres de Sam qui comprit immédiatement qu'il se passait quelque chose.

Tous trois observèrent l'horizon limité qui était offert à leurs yeux, à l'affût du moindre bruit, Sam dégaina son 32 et tout doucement bascula le percuteur, le cliquetis troubla la concentration d'Hubert James.

— Qu'est-ce qui se passe ?

— Chut !

— Mais…

Sam à son tour plaqua sa main sur la bouche d'Hubert James qui enfin comprit qu'Otis avait probablement entendu quelqu'un, ou quelque chose.

Au loin, le cri guttural des pélicans indiquait la direction du prochain point d'eau, soudain, le ciel déjà à peine visible s'obscurcit un peu plus dans un fracas de tous les diables, une nuée de flamants roses effrayés par on ne sait quoi s'envolèrent d'une traite, puis plus un bruit, plus un oiseau ne chantait. Une branche morte qui s'échoue au sol, amenant dans sa chute une multitude de feuilles et autres brindilles, les fit sursauter.

— C'est calme, je trouve.

— Oui un peu trop.

— Vous me faites flipper là !

— Flipper ? C'est quoi ça flipper ?

— La trouille, ça me fiche la trouille.

— Otis ! Dis quelque chose à la fin.

— Chhhhh vous ne savez pas vous taire ?

— Pourquoi voulez-vous vous taire ?

Cette phrase venant de nulle part, termina la montée en pression du groupe, Sam, au bord de la crise d'hystérie suivit de près par Hubert James, hurlèrent d'une seule voix.

— Olok, que fais-tu ici mon petit ?

— Je partais à votre recherche grand-père et la vôtre Sam bien sûr.

Sam, ne sécha pas ces larmes qui coulaient le long de son visage, mais n'eut pour seule solution afin de se calmer de venir écraser la paume de sa main sur la joue gauche d'Olok, le son résonna à travers tout le bayou.

— Sale con !

— Aieeee, moi aussi Sam je suis ravi de vous voir.

Hubert James venait de découvrir à quel point une femme effrayée pouvait avoir autant de puissance.

— Dites Otis, votre future nièce, elle a une sacrée poigne.

— Elle est forte comme un ours et imprévisible comme un alligator, elle sera une mère parfaite pour mes arrière-petits-enfants.

— Dites, je vous interdis de me marier vous deux, c'est encore moi qui choisis.

— Le choix est évident 112, évident.

— Tu veux aussi goûter ma main vieux machin ?

— Je vous le déconseille grand-père : répondit Olok se frottant énergiquement la joue.

— Bien, cessons de parler de ça, de toute façon la prochaine lune est dans une bonne dizaine de jours.

— Et quel est le rapport avec la lune Otis ? demanda Hubert James.

— Pour le mariage, nous, dans le culte vaudou on s'unit à la pleine lun…

Sam envoya avec un peu plus de retenue cette fois sa main dans le visage d'Otis.

— Encore un mot là-dessus, encore un mot et j'explose !

— Ça, je crois que c'est déjà fait non ?

Sam reprit une voix douce.

— Non ! Là, je suis calme, calme, tranquille quoi, on peut y aller ?

— Allez où ? Le village n'est plus, Sam.

— Comment ça le village ?

— Ne vous inquiétez pas grand-père, tout le monde va bien, un groupe de chasseurs a vu les Gédés arriver, les villageois se sont repliés à l'embouchure du fleuve.

— Mais comment ont-ils trouvé le village ? Sam ? Tu leur as dit quelque chose ?

— Nan mais jamais de la vie Otis, je ne vous aurai jamais trahi, c'est pas moi je vous le jure.

— Ne t'inquiète pas, nous te croyons, mais pour le moment il faut essayer de comprendre ce que veulent ces types ?

Olok s'interrogea :

— Ces types ? Les Gédés ?

— Olok, ces types paraissent effrayant avec leur accoutrement, mais ce sont des gens comme nous, ils n'ont rien de surnaturel, je t'assure, conclu Sam en tentant de le rassurer.

— Ils veulent récupérer le livre d'Ofans Sakre.

— Le livre ? Mais que veulent-ils en faire ?

— C'est ça la véritable question, si on suppose, je dis bien SI on suppose que cet ouvrage peut contrôler les morts je dirai qu'ils veulent lever une armée.

— Mais pour en faire quoi ? Une armée pour envahir quoi ? Qui ?

— J'en sais rien moi, mais je viens de comprendre un truc.

Cette phrase qui venait de sortir de sa bouche semblait la choquer.

— Oui j'ai compris.

— Expliquez-nous Sam parce que là, moi je suis largué.

— Les morts ! Ces types tuent tout le monde pour avoir des morts à contrôler.

— Mais pourquoi ?

— C'est simple, je continue de dire « SI » il est plus facile de contrôler des morts que de forcer des vivants non ?

— Admettons, mais pourquoi nous ? Pourquoi Morgan City ?

— Parce que c'est plus facile pour eux de tuer de petits groupes de gens plutôt que de s'attaquer à une cité plus grande, par contre ils doivent croire avec fermeté que ce mythe est réel.

— Ça explique pourquoi ils ont pillé le vieux cimetière de nos ancêtres.

— Comment ça le cimetière ?

— Oui, toutes les tombes sont vides, ils ont dû voler les corps, ils ont bravé Samdi, les fous.

— Pfff souffla Otis, Samdi n'a que peu faire des corps, il garde jalousement les âmes, mais ne s'intéresse pas aux corps.

— Retournez auprès de la tribu, vous y serez en sécurité.

— Comment ça « serez » ? Tu ne viens pas ?

— Non je dois retrouver le révérend et Maggy.

— C'est trop dangereux Sam.

— Je sais, mais je dois les retrouver, ils sont en danger.

— Sam a raison Otis, toi et Olok allez retrouver les autres, j'accompagne Sam à Morgan City, nous saurons une fois pour toutes si le révérend est dans le coup ou non.

Hubert James et Sam quittèrent le groupe en direction de Morgan City tandis qu'Olok et Otis continuaient vers le sud pour rejoindre leur tribu.

Ils marchèrent à nouveau plus d'une heure à travers les sous-bois marécageux de Bateman Island puis arrivèrent en fin d'après-midi sur une petite route.

— Bin ça alors !

— Alors quoi Sam ? Vous n'avez jamais vu la 90.

— C'est pas la 90 Hubert.

— Comment ça c'est pas la 90 ? Et vous voulez que ce soit quoi ?

— J'en sais rien, mais pour avoir navigué dessus d'Est en Ouest et inversement je connais tous les recoins de la 90 et ça, c'est pas la 90.

— Et donc ? En admettant que vous aviez raison Sam ? On fait quoi ?

— On continue, mais j'avoue que je suis surprise, je ne m'étais jamais douté qu'il puisse y avoir une route ici.

— Bof, l'île est immense vous ne pouvez pas tout connaître.

— Oui c'est vrai, hé regardez là-bas !

— Mince, une véritable pièce de musée dites-moi.

— C'est la première fois que j'en vois une.

— De Ford V8 ?

— Pardon ? Je parlais de la voiture.

— Vous n'avez jamais vu de voiture ?

— Non je ne crois pas, du moins je m'en souviens pas.

— C'est une Ford V8, ça doit dater des années… euh 1930 environ.

— 1930 ? Mais c'est juste avant la grande pluie.

— Oui, enfin je crois, vous savez, moi je n'ai pas grandi dans un abri, alors les cours d'histoire je n'en ai pas eu beaucoup.

— Je comprends, ne vous inquiétez pas, moi j'ai un peu de mal avec les dates je crois que c'était en 1947.

— Vous vous en rendez compte ! Cette voiture a plus de 450 ans et elle est comme neuve.

— Là, vous exagérez un peu, non ?

— Oui un peu, mais c'est la première que j'en vois une avec sa carrosserie entière, ça fait bizarre !

— Ça devait être cool de pouvoir se déplacer assis.

— Oui c'est sûr et puis il ne fallait pas longtemps pour les trajets, imaginez la 90, Lafayette-Nouvelle Orléans en trois heures, je pense.

— Trois heures ? Putain… pardon.

— Et si on continuait ?

— Oui, allons-y mais vous avez vu ? Quelqu'un s'est acharné dessus.

— OK OK la curiosité est la plus forte, prenons deux minutes pour aller voir.

Hubert James, accompagné de Sam se précipitèrent tels des gosses vers la carcasse de la Ford, « quelqu'un » l'avait « échoué » sur le bas-côté de la route, exposée aux vents dominants et miraculeusement préservée de la Grande Guerre, la Ford V8 modèle 1931 était certes rouillé, mais encore en un seul morceau.

— Vous avez vu ça ?

— C'est dingue, je ne sais pas qui conduisait cette automobile, mais il avait des ennemis, vous avez vu tous ces impacts de balles ?

Sam, interrogative plaça son index dans l'un des trous de la portière.

— C'est énorme on dirait du 45.

— Ça m'en a tout l'air, mais peut-être que quelqu'un s'est juste entraîné au tir sur cette voiture, quel sacrilège !

— Non non, vous rigolez, regardez, tous les impacts sont regroupés sur le poste de pilotage.

— Le quoi ? Je crois qu'on disait le poste de conduite, mais je ne suis plus très sûr du coup.

— Moi je vous le dis, le type qui conduisait cette voiture est mort au volant.

— Ça me rappelle une vieille histoire que j'ai lue dans un bouquin.

— Oui j'ai lu aussi, celle de Vicky et Vance ? Les criminels ?

— Non celle-là je la connais aussi, mais eux écumaient les casinos de Vegas, mais dites-moi Sam, vous êtes cultivé je vois, pourtant vous êtes toute jeune.

— Je suis allé à l'école jusqu'à huit ans, mais j'adorai lire tout ce que je trouvais.

— Impressionnant.

— Pas tant que ça, je n'avais pas d'amis alors il fallait bien que je m'occupe.

— Bon si nous y allions ?

— Oui le soir ne va pas tarder à arriver, si je me base au soleil, nous pourrions être chez moi dans une heure si on va par là.

— Chez vous ?

— Oui chez moi, je ne dors pas dans les arbres je vous signale.

— Non c'est pas ce que j'ai voulu dire, mais je ne vous imaginais pas avec un « chez vous ».

— Et vous m'imaginiez comment ? Courant de branches en branches et bouffant des racines ?

— Non non, c'est pas ce que j'ai voulu dire, mais bon passons, je suis curieux de découvrir votre intimité.

— Pardon ?

— Merde j'ai pas voulu dire ça.

— Dire quoi ?

— Votre intimité, ça peut être mal interprété.

— Et j'aurais dû interpréter quoi ?

— Laissez tomber je vais reformuler.

— Reformuler donc.

— J'ai hâte de péné... non.

— Mais qu'est-ce qui vous arrive à la fin, vous ne savez plus parler ?

— Pfff là j'avoue j'ai du mal.

— En tout cas, ne croyez pas que c'est un rencart.

— Ah pas le moins du monde Sam, jamais de la vie.

— Ah ouais ? Jamais de la vie ? Vous me trouvez si moche que ça ? Vous n'êtes pas très fin là, c'est vexant.

— Mais non c'est pas ce que je voulais di...

— C'est jamais ce que vous voulez dire, mais à chaque fois vous le dites.

Hubert James tenta désespérément de trouver une solution pour se sortir de ce méandre verbal lorsque la mémoire lui revint.

— Bonnie & Clyde ?

— Qui c'est ça !

— La voiture, la voiture me fait penser à la voiture de Bonnie & Clyde.

— Désolé... comprends pas ou du moins je connais pas.

— Alors, reprenons la route et je vous raconte.

— Cool j'aime bien les histoires.

Sam et Hubert James reprirent la route de l'intim… de la maison de Sam, il commença à raconter son histoire.

— Ça se passait dans les années 30, ou une quinzaine d'années avant la guerre, Bonnie Parker était une étudiante sérieuse, elle a grandi à Dallas.

— Dallas ?

— Oui Dallas, mais la ville n'existe plus, je continue : tout allait bien pour elle jusqu'au jour où elle tombe follement amoureuse d'un type marginal qui vivait de menus larcins.

— Clyde ?

— Non pas Clyde, je continue : Ils se marièrent, mais lui fut arrêté par la police pour un meurtre il me semble, seule, son mari en prison pour de longues années, elle ne voulut jamais divorcer.

— C'est quoi « divorcer » ?

— Divorcer c'est l'inverse de « marier » on se marie quand on s'aime et on divorce quand on s'aime plus, je continue : Elle fait la connaissance de Clyde Barrow chez un couple d'amis commun, lui vivait dans les bidonvilles de Dallas, lui et sa famille vivaient si pauvrement qu'ils n'avaient pas de maison alors la famille survivait en volant et trafiquant à gauche et à droite pour pouvoir se nourrir. Ils sont rapidement devenus amants, Clyde continuait de son côté à cambrioler et à braquer des banques, entraînant rapidement Bonnie dans sa criminalité jusqu'au jour ou Clyde, lors d'un casse tua un jeune policier.

— Ça alors comme ça de sang-froid ?

— Oui de sang-froid, mais ce n'était pas son premier cadavre, il avait déjà tabassé son co-détenu à mort lors d'un passage en prison.

— Et pourquoi cela ?

— Je ne sais pas trop, des histoires disent qu'il était violé en prison et qu'un jour il s'est vengé, mais bon je continue : donc Bonnie et Clyde passèrent de longs mois en cavale parsemés de crimes en tous genres, cambriolages, braquages, vols. Ils trouvèrent refuge en Louisiane à bord d'une Ford V8 volée : comme celle que l'on a trouvée. À la suite d'un braquage raté, deux policiers furent également tués.

— En Louisiane ? Merde alors si ça se trouve c'est leur voiture.

— Je ne crois pas, leur planque était au nord de l'île, du moins avant que ça ne soit une île, à Bienville, il me semble.

— Fascinant, continuez.

— Donc un jour ils s'apprêtent à aller braquer une nouvelle fois une banque, mais quelqu'un avait prévenu la police, connaissant leur itinéraire, la police leur tendit une embuscade ; faisant croire à une panne d'automobile, la police, armée jusqu'aux dents tendait un piège mortel aux deux amants.

— Et alors, la suite, la suite.

— La suite est brève, lorsque la Ford est arrivée sur la petite route la police a mitraillé la voiture.

— Comme ça ? Brutalement ?

— Oui sans sommation, la voiture est arrivée et vlan, ils ont vidé leurs chargeurs sur la Ford.

— Bin ça alors, ça correspond non ?

— Qu'est-ce qui correspond ?

— La Louisiane, la Ford V8, les impacts de balles, vous appelez ça une coïncidence vous ?

— J'avoue que c'est curieux c'est vrai, mais dépêchons-nous car le brouillard se lève.

— Ouais j'en ai un peu marre de me perdre depuis quelques jours et puis je commence à être fatigué.

— Moi aussi je vous rassure Sam et puis j'ai faim je ne vous explique pas à quel point.

— On se fera à manger dès qu'on sera à la maison.

— Je vendrai mon âme pour un steak d'alligator à la cajun.

— Bin je pense que vous serez déçu, je ne suis pas une excellente cuisinière.

— Ne vous inquiétez pas, nous ferons avec ce que nous trouverons.

Le brouillard se leva rapidement, il ne faisait pas encore nuit, mais la température ayant chuté de plus de dix degrés en très peu de temps, un splendide brouillard cotonneux plongea l'île dans les ténèbres. Les sous-bois du sud de la 90 étaient habituellement déjà glauques, mais là : Sam et Hubert James se retrouvèrent dans le décor idéal pour faire une crise cardiaque au moindre bruit, ils avançaient de plus en plus lentement à travers les obstacles que le grand Mwu mettait en travers de leur route, quelques dizaines de minutes plus tard l'humidité atteignait son point culminant.

— C'est affreux ce brouillard.

— Moi je suis complètement trempé, c'est un coup à choper la mort ça.

— Ça fait partie des choses à laquelle je n'ai jamais réussi à m'acclimater.

— Quoi ce brouillard ?

— Oui ma…

— Qu'est-ce qu'il y a Sam ?

— Vous avez entendu ?

— Vous n'allez pas me refaire le coup d'Otis ? Pas à moi ?

— Non je rigole pas, ça fait un moment que j'ai l'impression qu'on nous observe et là j'ai entendu comme, euh ? Une respiration.

— Une respiration ? Mais on ne peut pas entendre une respiration Sam.

— Merde Hubert je vous jure qu'il y a quelque chose ici et je l'ai entendu respirer.

— Respirer ! mais si on l'entend respirer c'est que c'est relativement près et énorme.

— Courez Hubert !

Sam prit ses jambes à son cou, Hubert, sur les talons de Sam, avait encore de beaux restes, sa grande taille ainsi que son surpoids ne l'empêchaient pas de courir aussi vite que Sam, leur problème majeur était le fait d'être grand, ce qui les empêchait d'esquiver tout ce qui leur fouettait le visage.

La « respiration » se faisait de plus en plus pressante, Hubert James avait cette désagréable sensation que « quelque chose » lui soufflait dans le coup lorsque Sam lui hurla. Les branches craquaient derrière eux, des pas lourds se firent entendre.

— Baissez-vous.

Elle vida le barillet de son 32 au-dessus d'Hubert James. Plus rien. Hubert James, à quatre pattes sur le sol, la regarda.

— J'entends plus rien.

— Moi non plus, mais bougeons d'ici.

— C'était quoi ?

— J'en sais rien en fait, je ne l'ai pas vu, mais barrons-nous vite, je ne sais même pas si je l'ai touché, mais j'ai dû l'effrayer.

— OK c'est parti, dégageons, l'idée me plaît beaucoup.

Un râle lugubre transperça le brouillard, Sam et Hubert James ne demandèrent pas leurs restes et filèrent, le pauvre Hubert James courait maintenant plus vite que Sam, et ce durant toute la période qui les séparait de la 90.

— Nous y sommes Hubert.

— C'est ici que vous habitez ? Il n'y a que des ruines ici.

À environ six kilomètres de Morgan City en direction de Lafayette, une aire de repos en ruine n'attirait pas trop le regard du curieux, ni le motel présent ni le bar n'avaient résisté à l'apocalypse. Sam se dirigea vers le vieux motel, sa conception en « T » faisait que de la route, tout le motel semblait s'être écroulé, mais de l'autre côté quelques chambres tenaient encore debout.

— Et voilà Hubert, je loge dans la 6.

— Si j'avais cru qu'une femme m'emmènerait à l'hôtel.

— Vous voulez dire quoi par-là Hubert ?

— Non rien, rien du tout, je connais ce coin et j'avoue ne jamais m'être intéressé à ces ruines.

— Comme tout le monde, c'est bien pour ça que je suis tranquille et tout confort monsieur.

Une partie du couloir à demi ouvert tenait encore bon. Elle s'approcha de la chambre n° 6 et inséra la clé dans la serrure.

— Merde, génial, la serrure fonctionne ?

— Oui j'ai fouillé les décombres un bon moment vers la réception pour les trouver, le top du top ? Regardez !

Sam toqua à la fenêtre :

— Voyez par vous-même, la vitre n'est pas cassée.

Hubert passa la porte le premier en s'excusant du manque de galanterie, mais cédant devant l'invitation de Sam pour la précéder.

L'intérieur contrastant avec l'extérieur, elle s'était fabriqué un patchwork de multiples morceaux de tapis recouvrant l'intégralité du sol, un lit deux places se trouvait dans le fond, un des pieds remplacé par un vieux cric de voiture, à gauche de la porte se trouvait « le séjour ».

— Sam ? Ce sont des Chesterfield ?

— Des quoi ?

— Les fauteuils là, ce sont des Chesterfield ! Hubert se laissa choir dans l'un d'entre eux.

— Superbe, si j'avais su qu'un jour.

— Su ? Un jour ? Vous êtes bizarre quand même.

— Pourquoi bizarre ?

— Vous êtes cultivé, vous adorez lire, mais vous ne lisez que des bouquins avec des femmes nues, des bouquins de pêches et de mobilier donc vous êtes bizarre.

— Si vous le dites Sam, sympa le téléviseur.

— C'est pour le fun, il ne marche pas.

— Je m'en doute bien ma jolie et le cas échéant plus personne n'émet, à ma connaissance, d'émission quelle qu'elle soit.

— Reposez-vous Hubert, je vais faire à manger.

Sam glissa à travers un trou dans la cloison donnant dans la chambre d'à côté, transformée depuis la prise des lieux en cuisine improvisée ainsi que de sanitaire.

Hubert-James héla Sam d'une pièce à l'autre.
— Vous n'avez pas de lumière chez vous ?
— Si, il faut brancher le distributeur « Coca Cola » à côté du lit, il y a une batterie à côté.

Sam continua son petit manège tandis qu'Hubert James, encore à quatre pattes, relia les deux fils dénudés du distributeur à la vieille batterie ; ce dernier émit un petit claquement sourd puis se mit à scintiller jusqu'à ce que le rétroéclairage se stabilisa, la douce lumière s'étala dans la pièce, créant une ambiance cocooning digne d'un vieux pub anglais. Les néons blancs éclairaient la pièce, nuancés par les néons rouges qui éclairaient la façade du distributeur.

Sam finit par arriver, deux écuelles à la main.
— Et voilà m'sieur : ragoût de ragondin.
— Divin Sam, vous êtes merveilleuse, ne manque plus qu'un peu de musique, quelques chandelles et vous succombez.
— Succomber ? Pourquoi voulez-vous que je meure ? Je sais cuisiner quand même, enfin un peu.
— Non je plaisantais Sam ne vous inquiétez pas.

Le repas, vu la faim des participants, fut réglé en moins de quinze minutes.
— Waou, je suis claqué moi.
— Vous pouvez dormir dans le lit, mais vous enlevez vos chaussures s'il vous plaît.
— Bien madame, mais je vais dormir dans le Chesterfield, vous pouvez dormir dans votre lit, vous l'avez bien mérité.
— Non non vous savez, j'ai l'habitude de dormir un peu n'importe où, ça ne me dérange pas et puis il faut que je refasse mes pansements.

— Alors, vendu, faites votre petite vie, je dors dans le lit.

Hubert James avait à peine allongé ses jambes sur le vieux matelas que le sommeil avait eu raison de lui.

Sam, elle, nettoya méticuleusement sa plaie à la main, par chance si l'on peut dire, la plaie s'était rouverte plusieurs fois durant cette journée évitant l'infection, elle continua par désinfecter les autres plaies, des plus importantes aux plus bénignes, vidant la quasi-totalité d'une demi-bouteille de rhum. Puis, enfin, vautrée sur le Chesterfield, Sam fixa l'écran du téléviseur, ses yeux se mirent à papillonner puis elle sombra également dans un profond sommeil.

L'ensemble de la Louisiane semblait faire de même, le repos absolu, mais pas pour certains. La nuit dans le bayou était aussi le théâtre de nombreuses atrocités, la plupart des prédateurs étaient nocturnes. L'épais brouillard qui enveloppait le motel le rendait invisible. Sam et Hubert James ne pouvaient se douter de ce qui se tramait à quelques pas de là, juste derrière la porte, le contraste de la douceur d'un foyer précaire, mais sécurisant et de l'autre, quelque chose d'horrible qui rôdait dans le brouillard. Quelque chose qui dominait sans aucun doute la chaîne alimentaire. Cette nuit, pas un chien léopard dans le coin, ils évitaient le secteur, les pélicans ? Eux se turent également, c'est dans ce silence paranormal que Sam trouva le sommeil.

— On va y rester Samantha.

— Mais non voyons, je peux t'assurer que tant que je serai là il ne t'arrivera rien.

— Mais pourquoi ils nous font du mal ?

— Je n'en sais rien moi.

— Taisez-vous les filles et continuez de courir.

— Mais… maman…

— Chut j'ai dit ! glissez-vous là et surtout ne dites pas un mot, c'est compris ?

— Nous laisse pas.

— J'ai dit chut, pas un br...

— Mamannnnnnnnnnn !

La giclée de sang aveugla Sam, la détonation résonna dans les couloirs de maintenance de l'abri.

— Promets... moi... protég... sœur Saman... antha, prom... met le...

— Pourquoi maman elle bouge plus Sam ?

— Chut petite sœur, fit Sam en tentant d'essuyer le sang sur sa petite robe du dimanche blanche et rouge.

Assise parterre avec Maria dans ses bras, le corps inanimé de sa mère devant ses pieds, elle ne bougeait plus, le sang encore chaud souillait ses petits collants blancs. Elle pleurait lorsqu'une créature sans bouche aux yeux rouges et au nez cylindrique arriva du fond du couloir, elle s'arrêta près des fillettes et se pencha. Terrorisée, Sam tenait Maria dans ses bras et tentait naïvement de la cacher, la créature désangla son visage. C'était un homme, un homme jeune qui se mit à les regarder fixement.

Plus rien, plus rien dans la mémoire de Sam, l'espace de quelques instants elle sursauta, toujours vautrée dans son Chesterfield, elle empoigna la bouteille de rhum et s'abreuva en conséquence, elle végéta devant la télé, le regard vide.

Les feuillages tremblèrent à l'extérieur du motel, des bruits de pas à peine perceptible troublèrent le silence de mort qui y régnait, suivi par d'autres.

— Cécil, tu te postes à gauche dans l'axe de la porte, tu descends le premier qui la franchit.

— OK.

— Zack, toi tu te mets en face de la fenêtre, moi j'essaie de trouver une entrée par les toits.

— OK.

— Et silence les gars, soyez prudent, ils ont la désagréable manie de rester en vie.

Cécil, accroupit se dirigea à tâtons à travers les hautes herbes tandis que Zack lui partait dans l'autre sens, un léger craquement le fit sursauter, ses doigts se crispèrent sur son fusil, il vérifia qu'il était bien gavé de chevrotine et prêt à tirer. En silence, il observa autour de lui.

— C'est toi ? Putain répond bordel j'ai failli te poudrer la gueule et bordel c'est quoi cette odeur.

De nouveau, un craquement le fit se retourner brusquement, le silence revint, comme auparavant, une nuit calme en Louisiane si ce n'est le sang qui coulait de la bouche de Cécil, il ne bougeait pas, il ne bougeait plus. Il laissa tomber son fusil sur le sol, ses mains se plaquèrent sur sa gorge puis instinctivement regarda ses paumes maculées de sang, il tomba à genoux écoutant, comme sa dernière marche funèbre, une respiration bruyante et soutenue venue d'on ne sait où.

La chambre était silencieuse, Hubert James ronflait comme si sa vie en dépendait, étalé sur le lit. Sam regardait le distributeur « Coca Cola » clignoter au fond de la pièce puis se focalisa sur le téléviseur qui passait en boucle un trait noir qui dévalait de haut en bas de l'écran sur fond de neige grésillant. Soudain, l'image se fixa.

Un speaker tiré à quatre épingles fit son apparition.

— C'est de ta faute Samantha, de ta faute.

— Qu'est-ce qui est de ma faute ?

— Ne fais pas l'innocente, beaucoup de gens vont mourir à cause de toi.

— Mais voyons je n'ai rien fait c'est p…

— Il te reste une chance de tous les sauver Samantha.

La télévision grésilla de nouveau puis la clarté de l'image revint.

— Bonjour ma jolie.

— Mais je rêve là, dites-moi que je rêve.

— Non ma jolie je suis beau et il faut t'y faire.

— Mais la...

— Lui, le type d'avant ? Un ami à toi, je présume ? Mouais, passons.

— Vous êtes le baron ? C'est ça ?

— Et tu croyais que j'étais qui ? Un de ces types du Ku Klux Klan qui broie du noir ? Ohhhhhh !

— Oui très drôle je vous l'accorde.

— Quoi mon piano ?

— Pardon ? Quel piano ? C'est quoi cette hist...

— Les blancs n'ont pas d'humour c'est désolant.

— C'est un cauchemar.

— Un cauchemar ? Pffff ! punaise, mais oui c'est un cauchemar.

— Vous voyez, j'avais raison, merde voilà que je parle à la télé moi.

— L'Atélé ? C'est le nom de ce curieux objet ? Mouais j'aime pas.

— Vous n'aimez pas quoi ?

— L'Atélé, on y est à l'étroit je trouve et puis il y a trop de monde pour moi là-dedans.

— Mais qu'est-ce que vous foutez dans ma télé à la fin ? Et comment ça trop de monde ?

— Bin en fait j'en sais rien, j'ai pas compris là.

— Merde et merde, il faut que je me réveille là.

— Là ça va mieux ma jolie.

— Et vous me voulez quoi vous ? Et puis... putain vous n'êtes plus dans ma télé.

— Je vois que tu es perspicace ma jolie.

Elle plaqua ses mains sur son visage, le baron, lui, tira sur son Cubain et s'amusa à faire des ronds de fumée.

— Soyons bref ma jolie, je ne sais pas ce que ce type te voulait, mais saches que le baron, c'est-à-dire moi, je préfère le préciser vu que tu as du mal à suivre, t'interdit de mourir, mais si tu veux mourir, libre à toi, mais après.

— Après quoi ?

— Après m'avoir rendu mes âmes bien sûr, pfffff t'es bonne mais t'as rien dans le crâne ma jolie.

— Mais laissez-moi à la fin.

— Je te laisse faire comme tu veux, mais si tu meurs tu ne pourras pas te venger.

— Mais me venger de quoi ?

— De qui ?

Le baron passa sa main derrière l'oreille de Sam.

— Un as de carreau ?

— Tu l'as dit ma jolie. Un as de carreau.

Sam rouvrit les yeux, en sueur, les montagnes rocheuses à l'horizon semblaient bouger toutes seules. Un courant d'air faisait voler sa mèche de cheveux en travers de son visage, là, perdue au milieu de nulle part, un revolver à la main tendue vers le néant, prête à tirer, mais sur quoi ? Elle n'en savait rien, quant à l'endroit où elle se trouvait c'était également un mystère. Les cactus environnants se rapprochaient d'elle, ils ne bougeaient pas, rien d'effrayant, un cactus ne bouge pas, mais ceux-ci se mirent à se rapprocher tout autour d'elle sans qu'elle les vît faire le moindre mouvement. Elle baladait son regard d'un cactus à l'autre, mais à chaque fois ils étaient un peu plus près. La déflagration du calibre 45 retentit, mais les projectiles ne semblaient pas les atteindre, ils avaient l'air de se rapprocher de plus en plus vite. Elle tirait dessus de plus en plus vite également, ils étaient à deux pas d'elle. Curieusement, son chargeur n'était jamais vide, une bonne cinquantaine de balles furent tirées jusqu'à ce qu'elle se retrouve cernée par les cactus et littéralement engloutie par ceux-ci.

Sam gesticulait sur son fauteuil, trempée de sueur, elle marmonnait des choses incompréhensibles ne perturbant pas le moins du monde Hubert James qui profitait d'un sommeil réparateur.

La douce chaleur de son foyer s'estompait au fur et à mesure de ses hallucinations nocturnes.

L'homme escalada les ruines du motel le plus silencieusement du monde, pas après pas, gravissant le monticule de béton et de bois. Il stoppa, sans doute pour analyser le meilleur choix pour atteindre la partie du toit du motel. Il reprit son souffle, un affreux pressentiment l'envahi, il se retourna d'un coup sec l'arme à la main et perdit l'équilibre. Il s'affala au sol dans un bruit assourdissant, craignant de réveiller tout le monde, il se mordit les lèvres et constata les dégâts, son avant-bras était brisé. En tentant de se relever, son pressentiment se précisa, un bruit de respiration sourd lui confirma qu'il n'avait pas été si discret que ça.

— Cécil c'est toi ? Viens m'aider je me suis pété le bras. Il utilisa sa ceinture pour se mettre le bras en écharpe.

— Cécil putain si t'as prévu de me faire flipper c'est gagné alors ramène ton cul, fils de pute.

Le bruit se rapprocha, une silhouette se dessina dans le brouillard, sa vision était troublée certes par la brume, mais aussi par le sang qui coulait de son arcade éclatée sous le choc.

— Merde Cécil, j'aurai dix fois le temps de crever, je comprends pourquoi ta femme te trompe si t'as la même vigueur au pieu ça craint.

Il regarda où il mettait les pieds pour sortir des décombres en évitant de se briser encore quelques os, en relevant la tête, il vit que la silhouette avait disparu, le bruit sordide de la mystérieuse respiration reprit juste à côté de lui.

— J'vais t'éclater sale f...

La tête de l'homme tourna brutalement à trois cent soixante degrés dans un horrible craquement. Son arme tomba au sol, les bras ballants, mais toujours debout. Inerte la silhouette se tenait là, juste derrière le corps du sectateur, la tête tournait, tournait, encore et encore jusqu'à ce que les muscles cédèrent, le corps tomba à genoux, la tête, accompagnée d'un chapelet de vertèbres, resta, elle dans les mains de l'énorme silhouette qui disparut aussi vite qu'elle apparut.

Il était tard, Sam se calma, en position fœtale dans son fauteuil, elle se rendormit paisiblement.

De la poussière, de la poussière rouge de partout, un vieux château d'eau surplombait le cimetière, Sam erra à travers les allées anarchiques et entendit sangloter, une ombre, une ombre de femme, à genoux devant une tombe vide. Sam s'approcha doucement.

— Il ne faut pas pleurer voyons.

Une timide voix timide et enfantine lui répondit :

— Elle est morte, vous comprenez elle est morte.

— Mais qui est morte, dites-moi ?

— Comme si vous ne le saviez pas, c'est vous qui l'avez tué.

— Mais non je n'ai tué personne, c'est pas moi.

Une voix venant de derrière elle aurait dû la faire sursauter, mais nullement effrayée, elle tourna la tête.

Un homme sans visage se tenait là, sa bouche n'apparut que lorsqu'il s'alluma une cigarette.

— Tu vois Sam, tu n'avais pas les bonnes cartes, il en faut toujours quelques-unes dans ta manche.

On entendit l'homme sans visage rire, Sam se pencha par-dessus la jeune femme qui s'avérait être toute jeune.

— Mais qui est dans cette tombe ?

La gamine se retourna, Sam se retrouva nez à nez avec elle, sa voix se mua en une voix masculine.

— Mais c'est toi Samantha.

Elle tira Sam dans la tombe et elles tombèrent toutes les deux.

— Merde.

Sam se retrouva debout au milieu du salon, complètement égarée.

Un coup de feu brisa le silence, il fut suivi instantanément d'un hurlement qui se termina par un long râle. Hubert James bondit hors du lit.

— Putain qu'est-ce qui se passe ?

— J'en sais rien ça venait de ce côté.

— Restez là Sam, je vais aller voir.

— Vous êtes dingue, restez ici.

— Mais on a tiré quand même.

— Mais pas sur nous, quel abruti raterait d'aussi près ma maison ? Je ne pense pas que c'était nous la cible, peut-être un chasseur, qui sait ?

— Un chasseur ? Vous me faites rire, vous voyez le mal nulle part vous.

— Disons que je suis rationnelle, nous vérifierons demain matin, retournez dormir.

— Et vous ? vous ne dormez pas ?

— J'ai du mal, j'arrête pas de faire des rêves étranges.

— Quel genre de rêve étrange ?

— Laissez tomber, je m'en souviens plus de toute façon.

— Bon et bien bonne fin de nuit.

Hubert James se vautra à son tour dans un des fauteuils.

— Ça, c'est mon fauteuil.

— Désolé, à votre tour de dormir dans VOTRE lit et puis je suis bien là, je vais regarder la télé, il y a peut-être un match.

— Un match ?

— Oui football, baseball, basket-ball, il y avait plein de sport avant le déluge.

Sam, effrayée à l'entente du mot « télé », se rua vers le lit et arracha la couverture du vieux matelas pour en recouvrir le téléviseur.

— Pas de télé, c'est néfaste la télévision.

— Hé c'était une blague Sam, on dirait que vous avez peur de cette télé.

— Peur ? Moi ? D'une télé qui ne fonctionne pas ? Pas du tout soyez sérieux.

— Si si, j'ai l'impression que vous me dites pas tout Sam.

— Pfff vous vous faites des idées, vous croyez quoi ? Que Sam a peur qu'un monstre en sorte et vienne me manger ? Alors pas de télé. C'est compris ? Au lit et bonne nuit.

— Oui maman.

— Pffff idiot.

Sam s'allongea de nouveau mais cette fois sur le lit et ferma les yeux.

— Heureusement que je ne vous prends pas au mot ma chère.

— Quel mot ?

— Vous venez de me dire au lit et vu que vous y êtes, j'avoue que...

— Décidément, M. Hubert James Lavoie vous êtes un gros pervers.

— Oui Sam, moi aussi je vous apprécie, bonne nuit.

— Bonne nuit.

Il ne fallut que peu de temps pour Hubert James pour retourner dans les bras de Morphée, quant à Sam, elle eut plus de mal, mais l'épuisement eut raison d'elle.

Ce n'est que tard dans la matinée qu'elle fut réveillée par une odeur de chair brûlée.

— Y a le feu !

— Mais non, tenez, je vous ai préparé le petit déjeuner.

— Pardon ?

— Vous faites souvent répéter les gens ou c'est juste moi pour m'énerver ?

— Désolé, je suis un peu largué ces temps-ci, c'est quoi ?

— Ça madame, c'est le top du top de la cuisine cajun.

Il tendit l'assiette à Sam qui ne prit pas le temps de se lever pour dévorer cet entremets d'une rare qualité.

— Punaise, c'est vachement bon c'est quoi ?

— Vers de bois grillés et ses haricots en boîte.

— Génial, c'est super bon, mais vous vous ne mangez pas ?

— Si vous saviez où j'ai ramassé les larves, vous vous priveriez comme moi.

Sam leva la tête de son assiette la bouche recouverte de nourriture et prête à rendre son repas.

— C'est une blague ?

— Oui c'est une blague, j'ai mangé il y a un moment déjà, cela fait bien deux heures que je suis debout.

— Deux heures ?

— Ouaip ma jolie, l'avenir appartient à ceux qui se lève tôt et du coup j'ai quelque chose à vous montrer.

— C'est quoi ?

— Le coup de feu d'hier, je suis allé voir et j'avoue c'est étrange.

— Je vous suis.

Sam déposa son assiette vide l'air inquiète. Y aura-t-il du rabe ?

— De toute façon, nous avons trop traîné, il faut y aller.

Dehors, Hubert James lui montra sa découverte.

— Regardez Sam, cette branche a été cassée par une balle.

— Oui effectivement, enfin il me semble que oui.

— Mais là, parterre, regardez.

— Merde quelque chose a griffé le sol à travers les fourrés.

— Et je vous déconseille d'aller voir derrière.

— Pourquoi ? fit Sam en enjambant les buissons.

— Oh Bordel c'est quoi qui a fait ça ?

— Je ne sais pas qui ou quoi a fait cela et je ne peux même pas vous confirmer que cette carcasse soit animale ou humaine.

— Mais aucune bête dans les bayous ne déchiquette une proie comme ça.

— On est d'accord, même un alligator ne pourrait faire ça, mais ce n'est pas tout suivez-moi. Hubert entraîna Sam à l'arrière du motel.

— Alors scène dégueulasse pour scène dégueulasse, regardez-moi ça.

C'en était trop pour elle, les vers de bois et les haricots ressurgirent de façon inattendue.

— Ch'ui désolé Sam, je pensais pas que ma cuisine vous pèserait autant sur l'estomac.

— Non non ne vous inquiétez pas ça va aller.

— Vous savez, j'ai tellement vu de trucs comme ça, en fait non, pas aussi barbare que ça, mais bon, j'ai tendance à oublier que tout le monde n'y est pas préparé.

— C'est pas grave je vous dis, je pense que celui qui est là est plus à plaindre que moi.

— C'est pas faux je vous l'accorde.

— Quoi mon piano ?

— Hein ?

— Non rien, mais comment peut-on arracher la tête de quelqu'un ? C'est impossible, il y a encore des vertèbres accrochées dessus et ? Où est le reste du corps ?

— Encore des questions sans réponses Sam, tout ce que je peux vous dire c'est que : en supposant que le steak tartare dans les buissons soit bien un humain, c'est que ces types nous tendaient une embuscade et sont eux-mêmes tombés dans un piège.

— Alors, ne restons pas ici.

— Direction Morgan City.

Le Soleil avait finalement retrouvé sa place, l'humidité était moindre et la brume matinale avait quasiment disparu lorsque le soleil annonça la mi-journée.

Sam et Hubert James décidèrent de suivre à découvert la quatre-vingt-dix jusqu'au centre commercial, mais de bifurquer en amont pour rejoindre directement le manoir du révérend.

— Et concrètement, une fois là-bas nous faisons quoi ?

— Nous mettrons le révérend et Maggy en sécurité, et puis il est révérend, peut-être qu'il pourra raisonner ces dingues.

— Vous croyez réellement ce que vous dites Sam ? Moi je crois qu'on va dans la gueule du loup comme on dit. Nous allons nous faire descendre et si ça se trouve votre révérend et sa petite sont déjà passés de vie à trépas.

— Bien sûr que non, vous vous rendez compte de ce que vous dites ?

— Je vous fais confiance Sam.

— C'est gentil Hubert, vous êtes quelqu'un de bien, tenez regardez, on arrive voici le manoir.

— Fichtre, comment cette bicoque est-elle encore debout, là, perchée sur sa colline ?

— Étrange non ? Il y a plein de rumeurs à son sujet, il y en a des marrantes.

— Allez-y faites-moi rire j'en ai besoin.

— Elle aurait été construite par on se sait qui, en une nuit, le soir pas de maison et pouf, le matin une maison.

— Qui peut croire des conneries pareilles ?

— Bin moi.

— Ah, pardon.

— Non je déconne, vous auriez vu votre tronche, c'était à mourir de rire.

— Tant mieux si ça vous amuse, mais franchement cette baraque date d'avant le déluge non ? Alors comment ? Exposée comme elle est, sur cette colline, qu'elle n'ait pas été soufflée ?

— Oui, ça, c'est le vrai mystère.

La demeure victorienne semblait encore plus impressionnante d'autant que toutes les portes, fenêtres, lucarnes avaient été barricadées.

— Bon bin voilà ma chère, plus personne, que fait-on maintenant ?

— On rentre.

— Tout ça pour finalement rentrer au village !

— Non, on rentre dans la maison pour les trouver.

— Les trouver ? Mais qui vous dit qu'il y a quelqu'un là-dedans ?

— Élémentaire mon cher Hubert, la maison a été barricadée de l'intérieur, c'est donc qu'il y a quelqu'un dedans.

— Merde, là je suis impressionné.

— N'est-ce pas ?

— Et je serai encore plus impressionné, vu la taille des barricades, si nous arrivons à rentrer dans ce mouroir.

— Ne dites pas cela vous allez encore devoir me faire un compliment.

Sam contourna la massive demeure par la gauche, contourna aussi le jardin d'hiver jusqu'à la vieille fontaine où Neptune pointait l'horizon de son trident.

— Ça doit être par ici si je me rappelle bien.

— Vous rappelez quoi ?

— Maggy, elle m'avait dit que des fois elle utilisait un vieux souterrain qui menait à la fontaine sur le côté « celle du monsieur qui tient une fourchette géante ».

— Du monsieur qui tient une fourchette géante ? Alors, oui ça doit être là, mais ce lieu est vraiment étrange en effet, une fontaine OK, avec comme statue, je sais pas moi, une femme ou une tête de vache, mais un type à moitié à poil avec une fourchette géante, oui je comprends que la fillette trouvait ça marquant.

— Qu'est-ce que vous voulez que je vous dise, tenez c'est là.

Cachée sous un amas de lierre et d'autres plantes envahissantes, une ouverture se trouvait directement dans ce qui fut le bassin, Sam et Hubert n'hésitèrent pas une seconde pour s'engouffrer dans la cavité.

Le petit escalier de pierre descendait sur quelques mètres pour déboucher sur un tunnel haut d'un mètre cinquante à tout casser.

— Putain on y voit que dalle là-dedans.

— Vous voulez que je passe devant ?

— On peut pas gros malin, vous n'allez pas me chevau... euh...

— Je vais vous quoi ?

— Non j'ai rien dit.

— Ahhhh, ça recommence.

— Aieeee !

— Quoi encore ?

— Pffff c'est rien je viens juste de m'éclater la gueule dans un truc.

— Quel truc ?

— Merci c'est pas grave je vais bien.

— Pardon, vous allez bien ?

— Je vous signale qu'on y voit comme dans le gros colon d'un alligator.

— Dans le quoi ?

— Merde et après vous me dites que c'est moi qui vous fais répéter, je ne sais pas bordel, je viens de vous dire que je viens de m'éclater la gueule dans un truc, il fait noir comment voulez-vous que je sache ce que c'est à la fin ? Mettez-y du vôtre un peu.

— Et là c'est mieux ?

De la pénombre jaillit la lumière, du moins une petite lumière clignotante.

— C'est quoi ça ?

— Ça ? C'est une lampe, une vieille pile à polymère branchée sur une ampoule de réfrigérateur.

— Et vous la sortez maintenant ? Alors que je viens de m'éclater la tronche parce qu'il fait noir.

Sam, les yeux d'un noir profond, fixait dangereusement Hubert James, sans un mot, elle venait de le fusiller, le mitrailler, ou plutôt le pulvériser au canon de cent vingt millimètres (minimum) du regard.

— Bin quoi, vous vous énervez aussi, moi ça me perturbe et je perds mes moyens.

Sam, toujours silencieuse, le regard plus noir qu'une nuit sans lune, le fixait sans discontinuer.

— Laissez-moi vous dire M. Hubert James la voie trente-sixième du nom qu'à ce moment précis ce tunnel de par son étroitesse vous préserve de la perte de quelques dents.

— Mais vous voyez Sam ! Vous vous énervez pour un rien.

— Un rien ? espèce de…

— Calmez-vous.

— Vous êtes juste bon à marcher derrière moi pour mater mon cul toute la journée.

— Vous dites ça sous le coup de la colère Sam, vous ne le pensez pas, et puis, il est vrai que votre derri…

— Stop.

Sam s'appuya contre son agresseur qui s'avérait être une sorte de petite porte, coincée pour cause de longue inactivité. Sam tenta de la forcer à coup d'épaule, elle en vint à bout au bout de deux ou trois essais ; ce qui n'était pas prévu c'était l'inertie, l'inertie de Sam certes pas très épaisse, mais le dernier coup porté avec toute la hargne qu'elle avait à cause d'Hubert James lui fut néfaste. Sam la traversa et s'écroula dans un couloir à plat ventre sur la porte posée au sol.

Posée au sol, mais en équilibre sur le rebord de l'escalier qu'elle connaissait bien.

— Putain j'ai eu chaud.

— De quoi ? fit Hubert James encore dans le tunnel.

— Je disais que j'ai failli me vautrer dans l'escal…

Hubert, en sortant du tunnel, poussa Sam afin de s'extraire du tunnel, la porte bascula du côté obscur. Sam à quatre pattes sur la porte dévala en hurlant l'escalier principal menant au vestibule pour finir sa course dans un charmant petit chiffonnier style dix-huitième siècle en hêtre massif, le choc la sonna, un tableau représentant un ancien portrait d'un probable maître des lieux il y a fort longtemps, finit sa course sur son crane pour se retrouver en improbable collier improvisé.

— Nan, mais je rêve là ? Vous croyez que c'est le moment de s'amuser, ne faites pas l'enfant Sam. À ce moment, après la porte du tunnel, ce fut à Sam de passer du côté obscur.

En voyant sa tête, Hubert recula machinalement, pas après pas.

— Non, mais attendez, j'ai rien fait moi, Sam, voyons, vous n'allez quand même pas ? Vous vous êtes fait mal ?

Sam gravit l'escalier doucement avec un pied du chiffonnier à la main.

— Sam, voyons, je vous en prie. Vous n'allez pas me frapper avec ça quand même Sam, Sam, Non !

— Vous avez raison je ne vais pas vous frapper avec ça. Sam lâcha son arme, qui roula contre la plinthe du mur.

— Ahhh Sam, je suis ravi de vous faire entendre raison, l'espace d'un instant j'avais bien cru que vous alliez me frapper.

— Vous frapper ? Moi ? Gagné.

Elle envoya la paume de sa main à travers le visage d'Hubert James, la puissance de la baffe le fit tourner sur lui-même pour se retrouver nez à nez avec la petite Maggy.

— Vous êtes qui vous ? Bonjour Sam, pourquoi vous le frappez ? C'est lui votre amoureux ?

— Euh Maggy comme je suis contente de te voir, ça va ? Tu n'as rien ? Ton père va bien ?

— Oui il va bien, enfin mieux.

— Comment ça mieux ?

— Ce sont les croquemitaines, ils ont voulu tuer mon papa.

— Amène-nous à lui veux-tu ?

— Oui, suivez-moi, mais alors Sam c'est votre amoureux oui ou non ?

— Non ce n'est pas lui petite curieuse, il est trop vieux celui-là.

Hubert James prit part à la conversation dans un curieux monologue.

— Bonjour moi c'est Hubert James Lavoie, je suis ravi, ravi et endolori et sachez mes demoiselles que non je ne suis pas vieux, loin de là, je suis fougueux comme à mes vingt ans.

— Pardon, Maggy je te présente un ami, Hubert James.

— Enchanté Monsieur.

Maggy, un chandelier à la main, arpentait les pièces et les couloirs du manoir, la bâtisse semblait déjà glauque, mais plongée dans le noir, le mal-être était saisissant.

— Mais pourquoi avoir barricadé l'étage également ?

— Je ne sais pas, mon papa a passé des jours entiers pour cela, les fenêtres sont piégées, il m'a dit qu'il ne fallait surtout pas que je m'en approche.

Tous trois se mirent à gravir quatre à quatre l'escalier qui menait au grenier. Sam poussa la trappe et s'engouffra à l'intérieur, deux lucarnes éclairaient une partie du grenier. Au premier coup d'œil, Sam fut impressionné par l'enchevêtrement de poutres qui constituait la charpente, le grenier semblait courir sur toute la longueur du manoir, apparemment peu de monde avait visité ce grenier depuis quelques siècles encore moins fait un minimum de ménage.

Le dos tourné à la trappe, assis devant une petite table d'appoint, le révérend gesticulait de façon précise, de petits mouvements non maîtrisés le faisaient gémir. Sam se redressa évitant avec prudence un coup de tête fatal avec les poutres.

— Maggy ? Je t'avais dit de ne pas sortir du grenier, quand cesseras-tu ces enfantillages, c'est dangereux.

— Bonjour Révérend.

— Sam ? Grand Dieu, que faites-vous ici ? Et où est Maggy ?

— Elle est là révérend, elle va bien, je suis ici avec un ami, Maggy m'a dit qu'ils ont essayé de vous tuer ? Vous allez bien ?

— Oui merci, rassurez-vous.

Sam se rapprocha de lui. Elle voyait bien en regardant par-dessus son épaule qu'il s'adonnait à un méticuleux travail de couture.

— Non vous n'allez pas bien ! Votre tenue, comme d'habitude est impeccable Paul, alors que faites-vous avec tout cela ? Ne me prenez pas pour une cruche, faites-moi voir.

— Ce n'est rien, un de ces fanatiques s'en est pris à moi lorsque j'ai voulu intervenir en ville pendant qu'ils tabassaient une mère et ses enfants.

— On ne peut pas les raisonner ces types-là, intervint Hubert James, moi ils ont cramé ma maison.

— Mais excusez-moi, je manque de civilité, puis-je vous offrir une tasse de thé ? Maggy, peux-tu nous faire un peu de thé ?

— Bien sûr papa.

La fillette, à petits pas rapides, s'éloigna, Sam baissa les yeux pour observer la blessure du révérend.

— Amène de l'eau très très chaude Maggy, et vous révérend, donnez-moi ces ustensiles.

— Non je peux me débrouiller seul, emmenez Margareth loin d'ici, mettez là en lieu sûr, je saurai me débrouiller.

— Vous avez raison Paul, on va vous laisser crever là, comme ça Maggy n'aura plus que le souvenir de ses parents, vous croyez quoi ? Qu'à son âge on peut se passer de ses parents ? Elle a déjà perdu sa maman, alors oui : quelle chouette idée pour elle de voir son père baisser les bras !

Sam sous le coup de l'accumulation de stress et tout simplement de colère décocha une droite magistrale au révérend qui fut sonné sur le coup.

— Putain ça défoule.

— Mais vous êtes malade Sam, une grande malade, on ne frappe pas un homme d'Église. Paul, inerte, gisait sur le sol, complètement sonné.

— Aidez-moi à l'allonger comme il faut et puis c'est un mal pour un bien, je ne suis pas croyante, mais son Dieu me pardonnera. Passez-moi la petite trousse à pharmacie dans mon sac et puis du rhum.

— Du rhum ? Oui chef.

Hubert James s'exécuta pendant que Sam ouvrit la chemise du révérend, une plaie au couteau béante à hauteur de l'abdomen lui confirma que d'ici demain le révérend ne serait plus.

Il tendit le matériel à Sam et la regarda avec une certaine admiration.

— Vous êtes jolie comme un cœur, mais alors quel caractère de chien c'est impressionnant.

— Merci de votre analyse psychologique, passez-moi le rhum.

— Je vous déconseille de mettre du rhum sur la plaie Sam.

— C'est pas pour lui c'est pour moi.

— Vous êtes blessé ?

Sam but une grande goulée de rhum, s'ensuivit un long et intense râle.

— Ahhhhhhh merde ça fait du bien. Sam tendit la bouteille à son assistant.

— Pouvez-vous désinfecter les outils ?

— À vos ordres cheftaine.

La besogne faite Sam entreprit ses travaux d'aiguille, une bonne demi-heure en tout, concentrée sur la survie du révérend, elle ne fit pas attention à Maggy, assise calmement jouant avec l'anse d'une tasse vide.

— Merci.

— Pardon ? Oh Maggy ne regarde pas ma chérie, ce n'est pas très beau à voir, tu sais.

— Qu'est-ce qui n'est pas beau à voir Sam ? Mon papa qui souffre ? Ou le fait que vous allez le sauver.

— Ne t'inquiètes pas ma petite, Sam est pleine de qualité, elle va le soigner ton papa.

— Oui je le sais, elle est formidable, c'est comme une grande sœur pour moi. Une grande sœur, une grande sœur. Ces mots résonnèrent dans l'esprit de Sam.

— T'es formidable grande sœur.

— Pas plus qu'une autre ma chérie et puis c'est normal que je t'aide, t'es pas ma petite sœur adorée pour rien.

— T'es pas une méchante hein ?

— Bien sûr que non, pourquoi tu dis ça ?

— Et bin en fait, à l'école tout le monde dit que tu es méchante.

— Pffff, ce sont des conneries ça, ils ne me connaissent pas.

— Il y a même des papas et des mamans qui disent à mes copains de ne pas s'approcher de toi, que tu es dangereuse.

Sam regarda Maria dans les yeux.

— Et voilà ma chérie ton bobo est guéri et promets-moi, pas un mot à maman.

— Pourquoi Sam ?

— Tu sais bien que j'ai pas le droit de toucher d'outils coupants.

— Pourquoi tout le monde a peur de toi Sam ?

— Tu sais ma chérie, les gens ont peur de moi parce que je ne suis pas comme eux.

— Je comprends pas.

— J'ai pas d'amis. Entre-les : oh elle est pas normale, elle ne parle pas, oh elle a un grain celle-là, oh une fille qui se bat avec les garçons, il faut l'enfermer, alors bon, j'ai l'habitude, mais t'en fais pas pour moi.

— Ils se trompent tous.

— Mais n'essaie pas de changer la nature des gens ma chérie, sinon ils te mettront dans le même sac que moi, gardes tes amis et puis maman t'aime et papa aussi.

— Sam ? Sam, ça va ?

— Hein ? Pardon ? Excusez-moi, ça y est c'est terminé.

— Vous êtes une femme parfaite Sam, quelle dextérité pour la couture, une vraie petite femme d'intérieur !

— Vous êtes maso non ? Vous voulez encore que je vous frappe ?

— Sans façon merci, mais franchement vous m'épatez, la plaie est propre, bien recousue, elle ne saigne quasiment plus.

— Il va mieux mon papa ? Il est guéri ? Dites-moi Sam.

— Oui ma chérie, maintenant il faut qu'il se repose, il doit reprendre des forces, laissons-le tranquille.

— Oui, de plus qu'il risque d'être, comment dire… grognon à son réveil, vous l'avez frappé quand même !

— Maggy ? Peux-tu nous servir le thé, je me lave les mains et j'arrive.

— Oui Sam, tout de suite.

Hubert James s'assied à la petite table, juste en face de Maggy, il la regarda servir le précieux mélange d'eau chaude et de plantes aromatiques ; le thé lui ne se trouvait plus depuis fort longtemps mais l'expression « boire le thé » demeurait ainsi, et ce, depuis la Grande Guerre. Maggy concoctait elle-même son mélange, muscade, cannelle, orange et divers ingrédients dont le secret était farouchement gardé par la fillette.

— C'est délicieux Maggy.

— Merci Mr Hubert Jim.

— James, Hubert James, mais appelle-moi comme tu veux, c'est toi qui le fais ce thé ?

— Oui monsieur, et la recette est secrète, rétorqua-t-elle fièrement en levant le menton.

— Secrète ? Et à moi, tu me la donnerais cette recette ?

— Sûrement pas.

Sam se fit une place entre Hubert James et Maggy.

— Pffff Maggy est une petite peste, elle n'a jamais voulu me la donner cette recette et pourtant j'ai tout essayé.

— Ahhh moi je suis sûr qu'elle va me la donner.

— Non M. Hubert, sachez que Sam a tenté avec moi énormément de stratagèmes et aucun n'a fonctionné.

— Ah oui ? Et quels stratagèmes Sam ?

— Tout je vous dis, TOUT, je l'ai supplié, menacé, que dalle, j'ai voulu l'échanger contre une pierre magique, j'ai même tenté de lui acheter.

— Il manque quelque chose Sam, quelque chose que vous n'avez pas essayé.

— Et quoi donc ?

— La torture Sam, la torture.

Sam et Hubert James se regardèrent, puis leur regard se dirigea vers Maggy, en moins de temps qu'il fallut à Maggy pour réagir, Sam commença à la chatouiller frénétiquement.

Maggy ne cessant de rire bascula de sa chaise sans discontinuer de rire, suivi par Sam à quatre pattes qui continua sa séance de torture.

— Je ne dirai rien.

— Mais si tu vas parler petite morveuse.

— Nan ch'ui pas une petite morveuse.

— Si ! t'es une morveuse.

— Allez euh !

Une bonne heure s'était écoulée depuis l'innommable séance de torture, en vain, Sam n'avait toujours pas la recette de la tisane « maison » de Maggy.

— Tu sais Sam, la torture pour y résister c'est juste une question de volonté.

— Tiens voilà ton père qui émerge, je crois que je vais me faire engueuler. Le révérend se hissa doucement pour s'asseoir contre une poutre.

— Je rêve, vous m'avez frappé ?

— Désolé révérend, c'était pour la bonne cause, je n'allais pas vous recoudre à vif.

Il écarta son pan de chemise pour observer la blessure, qui une fois nettoyée et refermée semblait beaucoup moins impressionnante.

— En tout cas merci, je n'aurai pas fait mieux.

— Merci c'est gentil.

Hubert James intervint, c'est lui qui maintenant jouait avec l'anse de sa tasse vide, regardant machinalement le fond comme s'il hésitait à en demander une autre.

— Et si nous parlions sérieusement quelques instants voulez-vous ?

— J'allais le proposer, dites-moi révérend, savez-vous ce qui se passe ici ? Précisément !

— Je ne sais pas si vous aviez remarqué, le niveau du Mississippi a énormément baissé, et ce, en quelques semaines à peine.

— Oui mon ami Otis m'avait fait la remarque.

— J'avais entendu parler d'une espèce de mouvement pseudo-religieux de l'autre côté, la suprématie blanche et tout le tralala, je n'étais pas le seul à connaître cette histoire, mais de là, à comprendre que ces histoires étaient bien réelles, j'étais bien loin de m'y attendre.

— Comme nous tous, je crois. Révérend ? Puis-je vous poser une question ?

— Bien sûr Sam, je vous sais capable de frapper un homme d'Église alors j'éviterai de vous contrarier.

— Pffff n'importe quoi, mais bon, ces types me cherchaient.

— Vous chercher ? Vous ? Sam ?

— Oui, ils voulaient savoir où se trouvait le village de mes amis pour récupérer quelque chose.

— Et que voulaient-ils prendre ? Je ne vous suis pas.

— Un livre.

— Un livre ?

Le révérend semblait nerveux, la douleur ne l'ayant pas encore quitté, il ne cessait de maltraiter le bouton de manchette de sa chemise.

— Le livre d'Ofans Sakre vous connaissez ?

Il ne parut pas franchement surpris à l'annonce de Sam.

— Ah ce livre-là, mais c'est une vieille histoire vaudou, c'est du n'importe quoi.

— Mais il existe, au village mes amis me l'ont confirmé, certes il n'a pas de pouvoir, mais ces types sont convaincus du contraire.

— Tout ça à cause de ce fichu grimoire ? C'est du délire.

— Nous pensons même qu'ils volent les cadavres pour créer une armée de morts en attendant de récupérer le livre.

— C'est ridicule, voler des corps ?

Le révérend paru effrayé à cette idée, Sam s'en aperçut rapidement.

— Quelque chose vous dérange révérend ?

— Non non je suis perturbé parce que vous me dites.

— Dans l'absolu, il vous faut fuir d'ici avec Maggy.

— Mais vous avez vu dans quel état je suis, partez de votre côté, emmenez Maggy.

— Nous ne partirons pas sans vous révérend.

— Alors il faut faire vite, ils ne vont pas tarder à revenir.

— Comment ça revenir ? Vous ne me dites pas tout Paul, alors crachez le morceau, des gens sont morts, vous comprenez ?

— Maggy, ma chérie. Peux-tu retourner faire un peu de thé s'il te plaît ?

Maggy, obéissante et dévouée retourna concocter son breuvage toujours secret.

— Allez-y révérend on vous écoute.

— C'est une longue histoire Sam et sachez que c'est assez pénible pour moi d'en parler.

Hubert James retourna sa chaise pour pouvoir s'accouder dessus, Sam elle resta debout une fesse sur la table.

— Voilà, bien avant que je vienne à Morgan City, je faisais partie d'une communauté religieuse de l'autre côté du Mississippi, c'est là que j'ai rencontré ma femme, Maggy n'est née que deux ans après notre arrivée ici, la communauté religieuse dont j'étais le révérend attitré était sans histoire jusqu'à l'arrivée d'un certain Joshua Abrams, Josh comme tout le monde l'appelait venait de Caroline du Nord. Tout se passait bien à un détail près, ce type, Josh avait des idées un peu radicales, il ne supportait pas que des noirs puissent « poser leurs sales culs de nègre sur les bancs d'une église » comme il disait, je n'y prêtais guère attention jusqu'au jour où il accusa un jeune noir d'avoir volé des affaires dans sa cabane. J'ai toujours eu des doutes sur cette histoire, mais sans jamais avoir eu aucune preuve d'un quelconque coup monté de sa part, le jeune homme fut expulsé de la communauté, son corps a été retrouvé plusieurs semaines plus tard, par des chasseurs, trois balles dans le dos. La situation a dégénéré lorsqu'il s'est opposé au mariage d'un homme avec une femme noire, la famille de la mariée s'en est prise à lui dans l'église. J'ai toujours pensé qu'il avait fait exprès ce coup d'éclat pour lever l'opinion en son sens, en quelques jours seulement, tout s'est embrasé, une véritable chasse aux sorcières. Les noirs ont été bannis de la communauté, c'est là que devant une telle intolérance, ma femme et moi avons quitté le nord pour venir à Morgan City, nous pensions y être tranquilles.

— Et c'est ce Joshua Abrams qui est venu avec ses sbires ?

— Oui, mais ce dingue est là pour une bonne raison.

— Le livre ?

— Pas seulement, en fait, il veut se venger de moi également.

— Mais pourquoi ?

— Joshua avait une sœur, vous comprenez.

— Non je ne comprends pas.

— Ma femme était la sœur de Joshua, Maggy est sa nièce et il veut la récupérer.

— Comment ça, la récupérer ?

— Je pense qu'il est au courant que Karen n'est plus de ce monde, il doit croire que c'est de ma faute.

— Eh bien nous protégerons Maggy, je vous le promets.

— Mais ne vous mettez pas en danger inutilement Sam.

— Alors reposez-vous, demain matin nous partirons d'ici, tous ensemble.

Elle laissa le révérend se reposer et invita Hubert James à l'accompagner au moment où Maggy fit sa réapparition auprès de son père.

— Où allez-vous comme ça ?

— Reste près de ton père Maggy, reposez-vous, Hubert et moi allons vérifier si tout est calme.

— Bien Sam, je reste ici.

La pénombre s'installa petit à petit sur le bayou, l'obscurité finit par engloutir les lieux, une légère brise d'Ouest chassa les nuages libérant le passage à un somptueux clair de lune qui inonda les tortueux corridors du manoir donnant un côté magique à l'endroit.

— Et voilà ma chère, on dirait que l'électricité est revenue.

— N'empêche que c'est hyper glauque là-dedans, je ne sais pas comment ils font pour vivre ici, moi je pourrai pas.

— J'avoue aisément que moi non plus, dites, ne serait-ce point une cave là-bas ?

— Si peut-être, je n'y suis jamais allé.

— Alors visitons ma chère, visitons.

Le sous-sol craquait mystérieusement sous les pas d'Hubert James ce qui ne tarda pas à l'angoisser, il alluma sa lampe magique avant que Sam ne fasse la moindre réflexion. D'énormes tonneaux de vin, posés à même le sol, devaient probablement servir de table pour y déguster quelques grands crus d'avant-guerre, l'intégralité des murs était habillée de casiers de bois.

— Vous voyez Sam, et ce, avant que vous me frappiez.

— Oui, vous vous améliorez Hubert, mais laissez-moi deviner, c'est à cause du gravier au sol ?

— Non non, oui j'avoue que le bruit sous mes semelles « Brrrrr » je croyais marcher sur des bestioles.

Sam alluma le grand chandelier disposé sur un des tonneaux à l'aide d'une allumette.

— Vous voyez, moi aussi j'ai de la ressource.

— Vous aviez des allumettes ? Petite gar... peste.

— Hé ho ouvrez les yeux il y en a une boîte posée là.

Sam se mit à extraire quelques bouteilles de leur casier par curiosité.

— Ça alors ! elles sont pleines.

— Voilà quelque chose d'appréciable ici, nous allons en goûter une.

— Nous ne sommes pas chez nous Hubert, dois-je vous le rappeler ?

— He ho ma jolie, nous sommes en guerre et en temps de guerre on se colle sa moralité où je pense.

— Bon alors je vous fais confiance, il faut trouver les sachets.

— Hein... que quoi ? Quels sachets ?

— Bin pour le vin.

— Restons calmes, je recommence : quels sachets ?

— Vous êtes con ou quoi, les sachets !

— Ah mais merde à la fin, ceci est du vin, on n'a pas besoin de sachets qui servent à je ne sais quoi, on débouche la bouteille, on se sert un verre, on le boit, on se sert un deuxième verre, on le boit, on finit la bouteille et on va se coucher.

— Mais les sachets ?

— Sam ?

— Oui Hubert.

— Vous savez, entre nous, je vous trouve jolie comme un ange tombé du ciel et croyez-moi ça fait des années que les seules présences féminines qu'il me reste c'est ma collection de magazines, alors oui je vous le dis, vous êtes physiquement parfaite et vous auriez pu sans mal figurer dans ces pages.

— C'est gentil mais ?

— Mais pourquoi vous avez ce putain de bordel de caractère de merde Sam ?

— Parce que les sache…

— Merde vos sachets.

— Oui bin c'est bon, vous énervez pas non plus, on fera sans les sachets.

— Merci de ta compréhension, goûtez un peu ce… ce Châteaux Margaux 1926.

— 1926 ? Et vous ne croyez pas que c'est dangereux de boire ça ? Après tant d'années.

— Pfff, il faut bien crever un jour, autant que ce soit avec plaisir.

— OK.

Hubert s'acharna plus de dix minutes avant de comprendre comment fonctionnait ce curieux petit appareil, posé près du chandelier : un petit manche en bois muni d'un petit tortillon de métal perpendiculaire au manche.

Sous l'œil ébaubi de Sam, Hubert réussit à vaincre le démon de verre cylindrique et à verser deux verres de vin. Il tendit à Sam l'un d'eux en observant la robe pourpre du nectar des dieux.

— Santé ma chère, nous l'avo… Je l'ai bien mérité.

— Parce que moi je ne le mérite pas ?

— Franchement non, me supporter n'est pas une corvée, avouez-le, en revanche vous supporter, vous, c'est toute une affaire.

— Pauvre con.

— Pardon ?

— Non rien, à la vôtre Hubert.

— À la vôtre.

Le précieux liquide ne réussit pas à couler dans son gosier. Son visage se déforma en même temps qu'Hubert James recracha le nectar au fond de son verre.

— Putain c'est dégueulasse.

— Je ne vous le fais pas dire Hubert.

— Vous n'auriez pas votre bouteille de rhum que je me rince ?

— Désolé mon sac est resté au grenier, mais allons-y, il n'y a rien ici qui puisse perturber cette soirée.

— Mouais vous avez raison, il ne se passera rien ici ce soir.

Ils remontèrent de la cave, Hubert emportant avec lui le chandelier dans le petit salon tandis que Sam, future mariée, aurait bientôt la corde au cou, et ce, pas forcément dans la bibliothèque.

— Il manque un colonel dans cette histoire vous ne trouvez pas ?

— Un colonel ?

— Oui ça ferait une bonne histoire je trouve, des méchants, une jolie fille et un super héros.

— Un super héros ? Vous ! je présume !

— C'est évident n'est-ce pas ?

— Mais pourquoi un colonel ?

— Je ne sais pas, c'est cette baraque et le fait de passer de pièce en pièce avec un chandelier à la main.

— Vous êtes vraiment bizarre vous.

— Bizarre ? C'est vous qui me dites ça ?

Sam franchit le seuil du petit salon lorsque Hubert James la poussa violemment au sol, un bruit sourd retentit, Sam, ventre à terre, peina à se retourner, Hubert le visage en sang tenait toujours son chandelier tel un majordome discipliné.

— Mais vous êtes malade fils de… c'est quoi ce sang ?

Elle baissa les yeux, une espèce de molosse en cagoule maculée de sang gisait au sol le crâne défoncé.

— Mais c'est qui lui ?

— De justesse Sam, j'ai vu son ombre se dessiner derrière la porte dès que la lueur du chandelier a passé le seuil. J'ai dû improviser.

— Merde Hubert, vous avez buté un mec dans le petit salon avec le chandelier !

— Et mon petit doigt me dit qu'il n'est pas tout seul, je ne sais pas comment ils sont entrés, mais préparons-nous.

— Merde si ça se trouve, ils ont pris le tunnel comme nous.

— Gardez votre flingue à la main et arrêtez de dire merde à toutes vos phrases.

— J'ai plus de balles, j'ai vidé le barillet dans les bois, vous vous rappelez quand quelque chose nous suivait.

— Merde et moi je l'ai paumé je ne sais pas quand.

— Là, c'est vous qui dites « merde ».

Hubert James ramassa le fusil de chasse du sectateur.

— Bon on a déjà ça, bordel cet engin, heureusement qu'il ne s'en est pas servi, un calibre 12 juxtaposé, je ne vous explique pas les dégâts que ça fait un machin pareil.

Hubert cassa le canon, il était chargé, Sam fouilla le corps, elle y récupéra six cartouches de chevrotine.

— Hé plus les deux dans la chambre ça fait huit, c'est pas mal, le problème Sam, c'est que je ne peux pas vous le laisser, ils ont scié le canon et vu votre gabarit c'est vous qui risquez d'y passer si vous tirez avec ça, on va essayer de vous trouver quelque chose.

— Ne vous inquiétez pas Hubert, j'ai ce qu'il me faut.

Il la regarda d'un air interrogateur, il regarda Sam extraire un couteau de sa botte.

— Et vous pensez faire mal à qui avec ce truc ? À moins que vous vouliez leur curer les ongles ?

— Je suis assez habile au couteau, je vous assure, maintenant il faut trouver par où ils sont rentrés.

— OK, alors allons voir le tunnel pour y condamner l'entrée.

Sam se dirigea aisément dans le manoir, Hubert ne connaissant que peu les lieux, se contentait de la suivre ; le long couloir au pied des escaliers mesurait une bonne douzaine de mètres, au fond, ils virent la poignée de cuivre de la porte de la bibliothèque qui brillait sous un rayon de lune. Lorsque celle-ci tourna sur elle-même ils stoppèrent net. La porte s'ouvrit en craquant, n'ayant aucun endroit pour s'y cacher, Sam et Hubert voulurent faire demi-tour discrètement.

— Pas la peine, vous êtes cerné.

Pris au piège dans le couloir, un type armé de chaque côté, Hubert cramponnait son fusil.

— Bin je crois que c'est fini ma petite, ravi de t'avoir connu.

— Ne vendez pas la peau de l'alligator Hubert.

— Facile à dire Sam, mais là on est dans la merde jusqu'au cou.

— C'est fini vos messes basses ? Lâchez vos armes !

— À trois vous tirez Hubert.

— Comment ça à trois, vous n'êtes pas armé je ne pourrai pas me faire les deux.

— Un.

— Merde Sam ne faites pas de conneries.

— Deux.

Les deux hommes les mirent en joues et avancèrent d'un pas.

— Trois.

Hubert James, ne sachant que faire, ferma les yeux et pressa la détente, le sectateur recula de quasiment trois mètres sans toucher le sol, Hubert s'attendit à recevoir le coup fatal. Ce qui le chagrinait le plus dans cette situation, c'était d'être flingué dans le dos, il y avait plus glorieux comme fin.

— Vous visez bien je dois l'admettre.

Hubert James rouvrit les yeux.

— Pardon ?

— Je disais « vous visez bien ».

— J'ai pas de mérite, ce truc couperait un éléphant en deux, mais…

— Allez, je récupère leurs flingues et on continue.

— Mais le type ?

— Je vous l'avais dit, je me débrouille assez bien au couteau.

— Vous voulez dire que ?

Hubert James s'approcha du corps inanimé.

— Putain vous l'avez pas raté lui, en pleine carotide, je vous rends votre couteau ?

— Volontiers, j'y tiens à celui-ci.

— Je crains le pire.

— C'est sentimental.

— Ah je comprends mieux, c'est avec celui-là que vous avez poignardé votre premier petit ami ?

— Pfff non.

— Le deuxième peut-être ? En tout cas votre futur époux a intérêt à filer droit.

— Mon futur époux ? J'ai pas envie de me marier.

— Olok va être terriblement déçu.

— Arrêtez de dire des conneries, il faut se barrer d'ici, allons chercher Maggy et Paul.

— Ouais pour une fois je suis d'accord avec vous, ne restons pas ici.

— Ça va être mal barré, je crois, dans l'état du révérend nous serons vite rattrapés, nous devons faire diversion afin de les retenir un maximum, surveillez le couloir, je vais les chercher.

— OK, mais vite.

Sam s'éloigna en courant pour aller à la rencontre de Paul et Maggy, ils devaient être déjà au courant, les coups de feu n'avaient pas été très discrets.

Hubert James se faufila de pièce en pièce à la recherche de « ce » ou « ces » agresseurs, il pénétra précautionneusement dans une vaste chambre et en scruta chaque recoin, soigneusement il repoussa la porte sans la claquer. Il ne patienta guère longtemps avant que la porte ne s'ouvrît de nouveau, lentement, laissant dépasser l'embouchure du canon d'un authentique M1 de calibre 556. La particularité de cette arme semi-automatique ? C'est son possesseur qui en fit les frais lorsque Hubert James agrippa la garde de l'arme et l'inclina au plafond d'un seul coup, surpris, son agresseur cagoulé pressa la détente et trois coups partirent directement au plafond, Hubert lui écrasa les doigts sur la gâchette pour vider le chargeur, le sectateur avait l'air assez costaud, mais Hubert James ne l'était pas moins, dans les un mètre quatre-vingt-dix et cent vingt kilos, il prit rapidement le dessus.

— Attention ça va faire mal mon gars.

L'homme, nullement intimidé par sa menace, tenta par la force de récupérer le contrôle de son arme. Hubert James, de toutes ses forces, serra encore plus et pulvérisa les doigts qui craquèrent instantanément, l'homme se mit à hurler et la dernière balle du chargeur fut tirée. Une fois vide, sur ce type d'arme, le chargeur monté au-dessus de la chambre s'éjecte pour gagner du temps pour la mise en place d'un nouveau chargeur, le hic ? Le fusil étant en position verticale le chargeur s'éjecta directement dans le nez du type, lui brisant net les parois nasales. La cagoule vira au rouge vif, le type lâcha le M1, les doigts brisés, le nez en miettes, Hubert lui fracassa la crosse de l'arme une nouvelle fois sur le nez, l'homme, à terre et gémissant, tentait désespérément de se protéger le visage. Hubert James l'acheva d'un coup de pied dans la porte, celle-ci se refermant sur la nuque de son agresseur.

Il tira le corps dans la chambre et claqua la porte.

— Je t'avais prévenu mon gars, avoir un gros flingue c'est bien, mais il est essentiel de bien le connaître, allez on va s'occuper de tes copains maintenant.

Hubert James, encore essoufflé, sortit de la chambre et se retrouva avec un couteau sous la gorge, Sam, elle, avait le canon du fusil sur le front.

— Putain Hubert faite gaffe j'ai failli vous buter ?

— Vous voulez rire c'est moi qui ai failli vous décalotter le crâne à coup de chevrotine. Le révérend et Maggy étaient en retrait, mais dans les pas de Sam.

— Révérend, Maggy, empruntez le tunnel, allez jusqu'à la quatre-vingt-dix à l'ouest de Morgan City, puis plein sud jusqu'à la côte, en cinq ou six heures vous pouvez y être, avec Sam on va leur faire perdre un maximum de temps.

— Vous êtes sûr ?

— Ne discutez pas, chaque seconde est précieuse.

Maggy, suivie de son père s'engouffrèrent dans le petit tunnel et disparurent dans l'obscurité.

— Hubert ?

— Oui ma chérie.

— Primo je suis pas votre chéri et deuzio : vous pourriez vous excuser.

— M'excuser de quoi ?

— Vous vous êtes lâché non ?

— Mais non, pas du tout c'est pas moi.

— Ça pue le pourri ici.

— Oui c'est vrai, mais sachez que ce n'est pas moi, je suis un gentleman, moi, jeune fille.

— Mais alors c'est quoi cette odeur ?

— Hum j'ai déjà senti cette odeur, mais où ?

— Oui moi aussi, ça sent la viande pourrie.

— Je sais !

— Vous savez quoi ?

— L'odeur, c'est la même odeur, hier, dans le brouillard.

— Exact, nous courrions j'en ai pris plein les poumons, mais alors ça veut dire que ce qui nous suivait…

— Est ici, merde Hubert restons sur…

Ils n'eurent pas le temps de se baisser, un sectateur ouvrit le feu, la rafale passa à quelques centimètres d'eux, par réflexes, Hubert se retourna et tira les deux cartouches présentes dans le canon, Sam bascula une console de bois massif en travers du couloir. Provisoirement à l'abri, ils attendaient la moindre occasion pour se tirer de là, la lourde bure du tireur couvrait ses bruits de pas, Sam entendait la respiration qui émanait d'en dessous de la cagoule.

— Butez le Hubert, bordel ! hurla Sam à voix basse.

— Peux pas le canon est coincé, je peux pas recharger.

— Et bin forcez merde.

— Putain vous me faites rire, le canon est bouillant.

— Laissez-moi faire, vous les mecs on peut rien vous demander.

L'homme se rapprochait pas à pas, son fusil d'assaut pointé sur la barricade de fortune.

— Vous croyez que c'est le moment de s'engueuler Sam.

— On s'engueule pas, JE vous engueule, il y a une différence.

— Subtile, mais il vrai qu'il y a une différence en effet.

Elle empoigna le fusil des mains d'Hubert James et, par on ne sait quel miracle, le canon céda à la colère de Sam, elle rechargea le plus rapidement possible, mais fit tomber une cartouche au sol.

— Putain cette odeur c'est de pis en pis.

Le sectateur n'était plus qu'à deux pas.

— Ouais j'ai envie de gerber c'est affreux.

— Bin à défaut de savoir se servir d'un flingue, vomissez-lui dessus, il se noiera peut-être.

— Ah ah ah, je pouffe, très chère, je pouffe.

Sam avait fini de recharger le fusil, Hubert lui arracha des mains.

— Comme tout à l'heure : à trois on tire.

— On l'entend plus.

— Chuttttttt !

— Un… deux… et trois.

Hubert James se releva d'une traite braquant le fusil sur… sur…

— Euh Sam ?

— Ne dites rien, je peux savoir pourquoi vous n'avez pas tiré ? Non en fait…

— Sam ?

— J'ai pas envie de le savoir, je devine ? OK il est parti ?

— Sam !

— Il s'est écroulé parterre raide mort ? Trop cool.

— Sam !

Elle se redressa au côté d'Hubert James.

— OK OK, là, franchement, je n'avais pas envisagé cette possibilité.

— J'avoue avoir moi-même avoir des doutes devant ce qui est en train de se passer devant nos yeux.

— En même temps, vous me faites rire, vous n'avez jamais vu une armoire à glace qui ressemble à un humain pourri, ce qui, entre nous, justifie l'odeur et qui vient sous nos yeux d'exploser cette cagoule entre ses paumes.

— En précisant Hubert, que dans la cagoule il y avait quelqu'un ? J'avoue NON, jamais vu.

— Et vous qui ramenez toujours votre science, vous avez une explication ?

— Non.

— Une suggestion peut-être ?

— Oui.

— Ah et laquelle ?

— On court ?

— Ça me va.

La créature mesurait quasiment trois mètres, humanoïde body-buildé, on percevait l'impressionnante musculature sous des lambris de ce qui fut jadis des vêtements, elle n'avait, à part la silhouette, plus rien d'humain, sa peau translucide, arrachée par endroits laissait percevoir la chair putréfiée grouillante d'insectes en tous genres, les nerfs et les veines émergeaient du corps de la chose, de multiples impacts de balles indiquaient que lors de la poursuite dans les bois, Sam avait dû le toucher à différentes reprises.

Sam et Hubert ne demandèrent pas leur reste, survolant le couloir plutôt qu'en le parcourant, ils bifurquèrent pour se retrouver à quelques mètres de deux nouveaux sectateurs également armés jusqu'aux dents.

— Attention Sam.

— Merde et on fait quoi là ?

La créature apparut à l'angle du couloir derrière eux, en face, au fond du couloir, les sectateurs à la vue de la créature eurent un mouvement de recul avant d'ouvrir le feu sur celle-ci, Sam et Hubert James dans la trajectoire des balles.

Hubert James enroula Sam dans ses bras et se jeta au sol, une quinzaine de coups de feu retentirent. La créature poussa un hurlement à glacer le sang de n'importe quoi tant que ce n'importe quoi ait du sang à glacer.

Un des sectateurs fit rouler une grenade aveuglante au pied de la chose. Sam entendit tirer trois, peut-être quatre fois supplémentaires, elle ne bougeait plus, aveuglée par la déflagration de la grenade ou tout simplement par le sang dans ses yeux, elle entendit hurler à nouveau, puis la chose hurla encore et encore.

Sam, terrorisée ne bougeait plus, elle distinguait des pas, des pas rapides, quelqu'un courait, puis à nouveau des coups de feu, encore un hurlement, un bruit sourd, quelque chose de lourd venait de chuter au sol.

Sam ne distinguait toujours rien, elle avait mal, une violente douleur à l'abdomen.

« Merde, pensa-t-elle, j'ai pris une balle, Hub est vivant, je le sens bouger. »

Puis Hubert James ne pesa plus sur Sam.

« Ouf il est vivant, il va m'aider. »

La respiration oppressante de la chose s'éloignait, mais restait omniprésente, de même que l'odeur de cadavre qu'elle émettait. À nouveau des bruits de pas, deux hommes peut-être trois, un nouvel échange de coups de feu, Sam ne put s'empêcher de tousser, la douleur lui fit cracher du sang, cela lui confirma sa blessure par balle, c'était la fin. Ces dingues ne l'avaient pas raté, elle toussa de nouveau, probablement à cause du soufre et de la fumée, elle retrouva doucement l'usage de ses yeux, mais la fumée l'empêchait de distinguer quoi que ce soit, sa tête commençait à tourner.

— Hubert ?

Deux nouvelles détonations, mais cette fois-ci, provenant du fusil de chasse d'Hubert, elles dissipèrent la fumée.

Au fur et à mesure que la brume balistique se dissipait, Sam aperçut l'ampleur du carnage. La créature était allongée au sol, le corps criblé de balles, un sectateur était empalé au mur par une planche cassée, un second assis dos au mur avait succombé à la chevrotine d'Hubert James. Sam tourna la tête, deux autres, venant d'on ne sait où, gisaient à ses côtés, l'un d'eux s'était fait arracher le bras et s'était vidé de son sang, le dernier avait pris lui aussi une dose de plombs en pleine poitrine, sa cage thoracique avait explosé sous l'impact des bouts d'os, et peut-être même de mâchoire, avait déchiré la superbe tapisserie, quant à Hubert James, il n'était pas dans son champ de vision.

— Il est vivant, se dit-elle.

Elle tenta de se relever tout en luttant contre la douleur.

— On les a eus... ma jolie ?

— Hubert ? C'est vous ?

— Et qui... voulez-vous que ce soit.

— Vous êtes blessé ?

— Ouais… je crois que ces fils… de pute, ont abrégé… mes années restantes.

— On va s'en sortir Hubert, je vous le promets.

— Et vous… ma jolie t'es blessé ?

— Oui, dans le bide, je crois.

— Wouaaaah merde… putain… ça fait… un mal de chien… le bide… on a fait mieux… on a…

— Mieux que quoi ?

— Bon…

— Bon quoi Hubert ?

— Bonnie et Clyde.

— À la différence que nous… bafouilla-t-elle en crachant une gerbe de sang en retomba à genoux ; on est… en vie, hein, Hubert on est vivant.

— Plus pour lon… longtemps… je crois, alors… prends soin… de ton…

— De mon ?

— Ton… joli… joli p'tit cul… ma jolie…

— Hubert ? Hubert !

Sam rampa sur le ventre et s'approcha d'Hubert James.

— Hubert Hubert bordel, non !

Sam lui frappa la poitrine comme si cela pouvait changer quoi que ce soit, mais plus elle comprimait sa poitrine, plus il saignait, il avait reçu pas loin de six balles dont deux en plein poumon.

— Hubert, merde réveillez-vous Hubert !

Hubert ne réagissait plus, à genoux devant le corps sans vie d'Hubert James Lavoie troisième du nom, elle pleurait, ses larmes diluaient le sang qui coulait de son visage, collant ses cheveux sur ses joues, elle plaqua sa tête sur le torse d'Hubert James et continua de pleurer.

— Hubert, réveillez-vous, merde à la fin, vous pouvez pas mourir comme ça, Hubert putain de merde.

Sam resta un long moment la tête enfouie dans les bras posés sur la poitrine d'Hubert James, un râle provenant de la créature brisa le silence. Sam s'obligea à laisser son ami avant que cette monstruosité ne revienne à elle. La main sur sa plaie à l'abdomen, elle tituba à travers le couloir puis marqua une pause pour éponger sa plaie. Elle se rendit compte finalement que même si cela saignait beaucoup la balle n'avait fait que l'érafler.

Elle emprunta le petit tunnel qui avait eu raison de son crâne, la traversée fut difficile, à moitié pliée en deux, sa blessure ne faisait que se rouvrir à chaque mouvement, la douleur la stoppa net à plusieurs reprises, lorsqu'elle en ressortit, il faisait toujours clair. La lune irradiait la colline de sa pâle aura.

Comment une région ayant survécu au grand déluge, où tout au moins ayant eu la capacité de renaître de ses cendres pouvait-elle être le lieu d'un tel massacre de grande envergure ?

La vue de Sam se troubla, elle essuyait en vain ses larmes, sa tête se mit à tourner, ses jambes ne la portaient plus, elle allait s'évanouir quand un sac de jute se rabattit sur sa tête.

— On la tient.
— Attachez-la, on ne sait jamais.
— Dans l'état où elle est ?
— Ne discutes pas, j'ai dit attache-la.

Sam, évanouie, ne put lutter, ses agresseurs n'eurent aucun mal à lui attacher le sac sur la tête et lui lier les mains et les pieds.

Elle retrouva ses esprits au contact d'un seau d'eau en pleine figure.

— Réveille-toi pétasse, on ne va pas te porter tout le long du trajet.

Sam, toujours avec son sac sur la tête peinait à respirer, l'eau rendait étanche le sac de jute, elle commença à suffoquer.

— Qu'est-ce qu'elle nous fait là ?

— J'en sais rien, on dirait qu'elle crève.

— Ah t'es sûr ?

— J'pense oui.

Elle tomba sur le côté, tentant de prendre de grandes inspirations, mais en vain, chaque bouffée venait plaquer le sac contre sa bouche.

— Mais pourquoi tu dis qu'elle crève ?

— J'ai l'impression qu'elle n'arrive plus à respirer.

— Et pourquoi elle n'arriverait plus à respirer ? Gros malin.

— Je ne sais pas moi, un sac sur la tête par exemple.

— Elle l'avait déjà tout à l'heure et elle allait très bien.

— Mais peut-être à cause de l'eau, l'air ne passe plus.

— Tu crois ?

On ne distinguait pas son visage, mais au bruit qui provenait du sac on devinait aisément son joli minois bleu vif se dégradant sur le violet, prémisse de l'évanouissement pour finalement conclure sur la mort, celle-ci étant le dernier stade de la suffocation.

— On devrait peut-être lui enlever ?

— Ou faire un trou dedans pour qu'elle respire.

— Oui ça c'est pas con.

L'homme dégaina un antique Colt 45 et visa le sac. Il bascula le percuteur, prêt à tirer.

— Arrête !

— Quoi encore ?

— Réfléchis un peu.

— Merde je sais encore faire un trou dans un sac.

— Sa tête est encore dans le sac, si tu tires tu lui exploses la tronche.

— Ah ouais merde.

L'homme rengaina son colt et lui retira son supplice.

Sam ne respirait presque plus, le second type lui infligea quelques gifles, probablement plus par plaisir que pour lui faire reprendre conscience.

— Putain c'est trop tard, elle est crevée.

— Merde Joshua va nous foutre la branlée de notre vie.

— Fais-lui du bouche-à-bouche merde.

— Du bouche... Ah ouais on peut essayer.

L'homme se pencha sur elle et commença à lui pincer le nez, au moment où il s'apprêta à poser ses lèvres sur les siennes, elle ouvrit les yeux d'un seul coup, lui mordant la lèvre au passage. Le mouvement de recul fit que la partie inférieure de sa lèvre se déchira pour rester entre les dents de Sam.

— Ahhhhhhhhhhhhhhhhhhh salope !

— Merde conasse, je vais te buter.

Sam lui cracha le morceau de son pote au visage puis se releva péniblement, le mutilé sortit un couteau de sa ceinture, mais au moment de la poignarder, Sam enroula ses liens sur la lame ce qui eut pour effet de les trancher net, la libérant de son étreinte. Le second dégaina de nouveau son 45 et vida le barillet sur Sam, qui, d'une judicieuse clé de bras se servit du mutilé comme d'un gilet pare-balles.

Ne risquant plus grand-chose une fois l'arme vide, Sam sortit le couteau de sa chaussure et coupa les liens de ses pieds.

Elle ne demanda pas son reste et s'enfuit dans les marais, le sectateur encore valide perdit rapidement la trace de Sam ayant perdu trop de temps en rechargeant son Colt.

Sam erra de nouveau plusieurs heures dans l'obscurité. La lune ne pénétrait pas les sous-bois, au fur et à mesure que le temps passait, elle sentait ses forces disparaître petit à petit. Elle passa le reste de la nuit au pied d'un grand bouleau, assise dans la boue. Au moins, les prédateurs resteraient éloignés d'elle, les animaux en chasse se risquaient rarement dans les tourbières et les zones vaseuses, immensément plus dangereuses pour eux qu'un sol plus sec qui leur permettait de courir. Il restait à Sam le risque aquatique : les alligators et peut-être même des araignées de mer, sa course loin au nord avait dû la rapprocher du Mississippi, territoire de ces bêtes maudites, ces bestioles, mi-araignées mi-crabes, d'une rapidité hors normes dans l'eau, mais également de bons coureurs sur terre ferme, heureusement sur de petites distances.

D'habitude, ils ne s'en prenaient qu'à une proie qui avait la délicieuse idée d'être dans l'eau, rarement sur les bords, mais sur ces mêmes bords il y avait des alligators et là ce fut un problème de taille pour Sam qui ne tarda pas longtemps avant de refuser le baiser qu'un magnifique spécimen d'environ cinq mètres et près de deux cent cinquante kilos voulut lui faire. Elle passa la nuit dans l'arbre après avoir noué les longues tiges de l'arbre entre elles pour se fabriquer une sorte de balançoire dans laquelle elle put finir la nuit sans risques de chuter.

C'est une envolée d'oiseaux qui la réveilla en sursaut, l'alligator, lui, avait laissé tomber, la volonté de Sam à rester en vie était plus forte que la persévérance de la bête.

Elle marcha un moment à la recherche d'une clairière pour se repérer grâce au soleil.

Sam s'arrêta de marcher, droit devant elle, le type de la veille, le problème ce coup-ci, il avait des renforts, des renforts et des chiens, ces clébards suivaient son odeur, il serait désormais difficile de les semer, elle fit volte-face et se mit à courir.

— Mais comment a-t-il fait pour aller chercher des renforts si vite ce connard ?

Elle courait, les chiens, excités par le goût du sang, aboyaient à perdre haleine, les types hystériques, eux aussi, se mirent à hurler.

— Elle est là, on la tient.

Quelques balles sifflèrent au-dessus de ses oreilles, le terrain se dégagea un peu, le sol était ferme. Sam pouvait maintenant courir plus vite, mais sa blessure se rouvrit, elle se précipita dans un ruisseau pour tenter de perdre les chiens puis continua sa course folle pour arriver à ce qui semblait être un petit baraquement, elle s'approcha sans réelle précaution un peu pressée par la situation.

Elle se retrouva nez à nez avec deux espèces d'illuminés tendance punk : l'homme est grand, tout sec, appuyé sur un énorme marlin, rouquin pure souche comme l'indique son torse nu, accro du piercing, des lèvres aux sourcils en passant par les tétons, un pantalon moulant le cintrait, ce qui accentuait sa maigreur, la femme, elle, mesurait également son mètre quatre-vingt, un peu ronde, cheveux noirs, elle avait des tatouages sur toutes les parties visibles de son corps, un vieux maillot laissant entrevoir plus qu'une partie de sa poitrine dégoulinant de crasse, une jupe de peau cachait l'essentiel à mi-cuisse.

— T'es qui toi pétasse ? Et qu'est-ce que tu fous là ?

— Désolé, j'ai besoin d'aide, je suis poursuivie, vous pouvez m'aider ?

— Bute-la cette pute ! Si ça trouve, elle est avec eux.

— Avec qui ? Mais je suis avec personne moi.

— Prends-nous pour des cons.

— Attendez, je ne suis pas là pour vous créer des ennuis, des types me poursuivaient.

— Quels types ? Ceux de l'abattoir ? Personne ne viendra nous emmerder.

— L'abattoir ? Mais non je suis pas au courant. Je vous assure.

— Ne fais pas l'innocente, toi et tes potes vous faites des trucs bizarres à l'abattoir.

— Comment ça bizarres ? Écoutez, ils ne vont pas tarder à se pointer, on doit se planquer.

— Ces fils de putes armés jusqu'aux dents squattent la South Louisiana Pet Cannery.

— La conserverie ? Ce bâtiment pourri ? C'étaient des types en cagoules ? dites ! c'était eux ? Je savais même pas qu'elle était squattée alors écoutez-moi : ces ty...

— Hé oh, ferme ta gueule, tu les connais, ces trous du cul ? t'es avec eux c'est ça ? Tooth qu'est-ce que tu en penses ?

— Ouais Nobe, on va la dérouiller cette pétasse, elle servira d'exemple.

Tooth glissa ses deux mains derrière elle à la grande incompréhension de Sam, Nobe, lui, s'approcha d'elle, son marlin prêt à l'emploi. Elle recula d'un pas et esquiva de justesse la décapitation, elle tomba sur les fesses, Tooth dégaina deux longues lames effilées probablement forgées dans une vieille plaque de métal récupérée ici ou là.

— Arrêtez bordel, je vous dis que...

Sam esquiva de nouveau le baiser mortel du marlin de Nobe en roulant sur le côté.

— Je vous dis que ces mêmes types essaient de me buter, merde à la fin.

— C'est vrai ? appuya Tooth.

— Juré, ces types dégomment tout ce qui bouge, ils ont fait un carnage à Morgan City.

— T'entends ça Nobe ? et si elle disait la vérité ?

— Franchement, j'en sais rien, on n'a qu'à la buter, on improvisera après ?

Tooth baissa les armes et fit deux pas en avant, elle n'eut pas le temps de tendre sa main pour l'aider à se relever que la poignée de cagoules pointues émergea du sous-bois, précédée par toute une meute de chiens, armés de diverses battes et de bâtons cloutés, seul l'un d'eux possédait un fusil de chasse, Sam les reconnue tout de suite : le type de la veille et ceux qu'elle avait enfermés dans le sous-sol d'Hubert James, ils avaient donc réussi à sortir du souterrain.

Nobe s'écria :

— Mais ce sont les fils de putes de…

— Elle est là ! chopez-la et butez les deux autres.

Tooth regarda Nobe.

— C'est nous les deux autres ?

— Bin je crois qu'oui sœurette.

Tooth lança une de ces lames à Sam.

— Montre-nous ce que tu sais faire pétasse, on réglera nos comptes après.

— Qu'est-ce que je vous disais ? Mais merde et remerde, vous êtes bouchés. Nobe pencha la tête vers Sam.

— Mais ta gueule putain où c'est moi qui te bute.

Tooth entra dans une véritable frénésie, son frère, lui, sortit un petit flacon de sa poche, fit sauter le bouchon avec les dents et sniffa un grand coup le contenu. Il ne fallut que quelques secondes pour qu'il se mette à saigner du nez.

Tooth esquiva avec finesse le premier coup de batte et poignarda son agresseur en pleine poitrine. Nobe, pris de vitesse par deux autres, s'en défit d'un coup de tête qui sonna l'un d'eux, le second, lui assena un coup de batte cloutée dans le dos qui ne le fit même pas broncher sur le moment, ou plutôt : cela le rendit complètement hystérique et incontrôlable, sous l'effet de la drogue qu'il venait de prendre, plus rien ne l'atteignait, le sectateur la batte en main en fit les frais lorsque le marlin sépara son crâne en deux. Sam, paralysée par la scène ne bougeait pas pendant que Tooth, elle, égorgea son premier sectateur et brisa la nuque d'un second lorsqu'un coup de feu stoppa net le conflit.

Un homme sans cagoule, un homme au visage mutilé, balafré d'un côté à l'autre du visage venait de tirer un coup de fusil en l'air.

— On se calme.

Tooth baissa sa lame et regarda Nobe se vider de son sang.

— Nobe ! ça va frérot ?

— C'est rien sœurette, c'est rien.

Le chef de la bande, sans aucune émotion, envoya une décharge de plomb en pleine poitrine de Nobe qui s'écroula net.

— Nooooooooobe, bande d'enculés je vais vous faire la peau.

Tooth sauta à la gorge du balafré, mais fut maîtrisée par le reste de la bande encore en vie.

— Qu'est-ce qu'on fait d'elle ?

— Elle ? Je m'en fous ? Mais l'autre, il faut qu'elle parle.

— Allons-y, la nuit sera là avant que nous arrivions à Morgan City, rentrons aux abattoirs, nous partirons demain matin.

Sam prit un violent coup sur la tête, sonnée, elle ne reprit ses esprits que bien plus tard dans ce qui semblait être la conserverie.

C'était un lieu sordide, un ancien abattoir et conserverie de viande sur pilotis au cœur du bayou. L'enseigne exposait fièrement une boîte de conserve avec une tête d'alligator encore distinctement visible malgré les affres du temps.

Sam revint à elle péniblement, elle constata que Tooth partageait sa situation : toutes les deux attachées par les poignets, leurs entraves se trouvaient elles-mêmes enchaînées à des esses de boucher, pendues par les mains comme de vulgaires quartiers de viande.

Que faisait-elle ici ? Pourquoi ces types la gardaient en vie ? Elle observa autour d'elle, les yeux pleins d'incompréhension.

Le sol imbibé de résidus graisseux et de sang le rendait glissant, des carcasses de chiens, d'alligators en décomposition étaient encore suspendues aux esses voisines, mais bien pire encore dans les yeux de Sam et de Tooth qui commençait à son tour à émerger de sa léthargie. Un groupe électrogène se mit en route. Quelques dizaines de lampes éclaircirent la situation. La salle d'abattage où elles étaient séquestrées servait également de salle d'interrogatoire.

Une bonne douzaine de tribaux morts dont les multiples mutilations laissaient deviner une mort dans d'atroces souffrances, les corps se faisaient dévorer par les mouches et leur progéniture. Les rats affamés se repaissaient également des pauvres diables, certains se battant pour les meilleurs morceaux.

Pourquoi avaient-ils été torturés ? Sam se posait toujours la question. Ces types étaient bel et bien des psychopathes. Elles sursautèrent lorsqu'elles comprirent que tout n'était pas mort.

Des grognements incessants provenaient de leurs dos, ne pouvant se retourner, elles restèrent de longues heures pendues de la sorte à s'effrayer de ce que pouvait être ces bruits, le stress avait gagné Sam depuis fort longtemps, plus le temps passait, plus son état mental déclinait, maintenant c'était la terreur qui prenait possession d'elle.

Depuis un bon moment, elle avait cessé de chercher à savoir depuis combien de temps elles étaient là. Les grandes vitres noircies par la crasse et la fumée lui interdisaient de connaître la vérité. Le jour ? La nuit ? Aucun indice ne lui laissait apparaître depuis combien de temps elle se trouvait là. Tooth n'avait pas bougé depuis une éternité, était-elle morte ? Impossible de le vérifier, peut-être ne préférait-elle pas savoir, son corps pendu faisait des petits mouvements de côté, Sam, les cheveux dans les yeux, sa respiration devenait de plus en plus douloureuse. La tête pendante, elle se rendit compte qu'elle pleurait en voyant ses larmes s'écraser au sol, créant de petites auréoles claires dans la crasse. Ses poignets saignaient, mais elle ne ressentait pas la moindre douleur, comme anesthésiée.

Elle resta ainsi, le regard vide pointé au sol jusqu'à ce qu'un cagoulé traînant derrière lui un petit chariot de garagiste et le stoppa près de Tooth. Il fut prestement rejoint par un second tenant un seau d'eau, qui, à l'odeur, semblait croupie. Il balança sans un mot la flotte qui finit sa course dans le visage de Tooth ; le choc glacé lui fit prendre une grande respiration, mais qui instantanément lui coupa le souffle.

— On l'interroge celle-là ?

— Je pense qu'elle ne sait rien, mais on peut s'amuser.

— T'as raison, j'ai l'impression qu'elle résistera plus que les autres.

Il ôta la vieille nappe en dentelle pleine de sang qui occultait le contenu du chariot laissant entrevoir une multitude d'instruments dont Sam n'osa imaginer l'utilisation qu'ils pouvaient en faire.

Sous ses yeux ébahis, Tooth cracha au visage du sectateur qui riposta d'un terrible coup de poing. Elle cracha de nouveau, mais ce fut du sang accompagné d'un morceau de dent qui souilla la cagoule de son bourreau, les types se mirent alors à la matraquer sans ménagement, des coups de barre métallique dans les côtes, à peine consciente, son maillot déjà en piteux état fut arraché. La poitrine maculée de sang, elle se mit à hurler lorsque les deux pinces crocodiles d'un câble de démarrage de voiture prirent place sur ses tétons.

— Alors dernière chance ma belle.

— Allez vous faire enculer.

— Tssss tsss tsss, que sais-tu du livre des morts ?

— Allez vous faire enculer.

L'homme brancha les pinces sur le groupe électrogène sans aucune hésitation, Tooth convulsa violemment et recracha à nouveau une gerbe de sang.

— Alors toujours silencieuse ? Dis-nous où est ce putain de livre ?

— Allez vous faire…

L'homme lui colla un coup de poing lui éclatant le nez, son visage était mutilé, il s'approcha lentement de Sam.

— Regarde bien ta copine ma jolie, après ce sera ton tour.

— Laissez-nous partir, il n'existe pas ce putain de bouquin, c'est du folklore.

— Tu rigoles, du folklore ? Et ça, c'est du folklore ? Josh amène-nous ce truc.

Le fameux Josh reposa son seau et se glissa derrière les filles, un bruit de porte métallique suivi par un claquement de serrure n'envisageait rien de bon.

Les bottes de Josh résonnaient, les grognements se faisaient de plus en plus proches, Sam tenta de se tourner, la frayeur la fit sursauter, lui cisaillant un peu plus les poignets, Tooth, elle, ne réagissait plus à rien.

Josh tenait une sordide créature enchaînée par le cou comme un bon chien tenu en laisse, la tenant en respect avec un bâton d'élevage électrique.

Un villageois, cette… chose était un villageois se dit Sam.
— Hé ma jolie, n'aie pas peur voyons, tu ne reconnais pas un de ces putains de nègre ?
Sam ne répondit pas.
— Ces saloperies ont traversé le Mississippi, tuées nos gosses, nos femmes et tu dis que c'est du folklore ?
— Et vous croyez qu'on y est pour quelque chose ?

Joshua regarda Sam et dans un sang-froid frôlant la psychopathie prit une machette sur le petit chariot chirurgical. D'un seul coup bien placé, il décapita le « zombi », comme ça, sans aucune autre forme de procès. Sam fut éclaboussée de sang, Joshua ramassa la tête et la brandit sous son nez.
— Laisse-moi te dire Sam, je peux t'appeler Sam ?
— Nan.
— Ces saloperies venaient du sud, le sud c'est ici, elles ont décimé les nombreuses communautés au nord-est du Mississippi, lorsque nous avons monté cette expédition c'était pour deux choses et tu sais lesquelles Sam ?

Sam ne répondit pas.

— Ré-cu-pé-rer ce putain de livre Sam, le ré-cu-pé-rer. Le détruire et faire la peau de votre révérend.

— Que vient-il faire là-dedans ?

— Ce qu'il vient faire là-dedans ? Mais c'est à cause de lui tout ce bordel.

— Vous faites erreur, Paul n'a rien à voir là-dedans.

— Paul ? Vous l'appelez Paul ? Il vous manipule depuis le début, son vrai nom est Dale, Dale Darking.

— Dale Darking ? Vous vous trompez je vous assure.

— Je ne sais pas ce qu'il vous a raconté, mais laissez-moi vous donner ma version. Sam releva la tête et scruta Joshua de la tête aux pieds.

— Dale, pardon, Paul a été chassé de notre communauté il y a huit ans, nous vivions simplement en respectant nos croyances, d'humbles serviteurs de Dieu, Dale s'intéressait beaucoup aux cultes tribaux divers, puis s'est complètement désintéressé de Dieu pour se vouer à tout ce qui pourrait lui donner richesse et pouvoir, nous l'avons banni pour cela et c'est ma sœur qui en a fait les frais.

— Votre sœur ?

— Sa femme, ma sœur l'a suivi, elle était follement amoureuse de Dale, puis j'ai appris qu'il avait eu un enfant, quand les attaques ont commencé, ça m'a fait réfléchir puis j'ai compris, Dale avait trouvé le livre dont il nous avait tant parlé.

— Je ne vois pas le rapport.

— C'est pourtant simple, le livre d'Ofans Sakre est un recueil de toutes les âmes guidées par le baron Samdi dans la mythologie vaudou, Dale a fait cela pour prendre possession des âmes et lever une armée de morts-vivants qui contrôle les âmes, contrôle les corps, il y a un rite.

— Qu'est-ce que vous me racontez là ? C'est ridicule.

— Ridicule ? Dale a trouvé le livre, c'est évident, maintenant il continue de lever son armée, il a réussi le rite, moi je croyais également que c'étaient des histoires pour les gosses, il l'a tué pour assouvir sa soif de pouvoir.

— Tué qui ?

— L'enfant de ma sœur, cela faisait partie du rite, sacrifier son sang pour mériter les âmes du baron.

— Mais non ça ne tient pas, Maggy est vivante.

— Maggy ? C'est une fille ? Non elle ne peut pas être vivante, le sacrifice, ma sœur est morte il n'avait pas d'autre famille, il ne restait qu'elle.

— Je peux vous assurer qu'elle est vivante alors ça prouve que Paul n'a rien fait, il est innocent. Joshua la frappa du revers de la main.

— Je t'interdis de dire qu'il n'a rien fait, il a laissé ma sœur mourir.

— Et vous ? Vous n'avez pas fait tuer tous ces gens ? Pour rien ? C'est qui le monstre dans l'histoire ?

Joshua la frappa de nouveau au visage, une giclée de sang heurta le visage de Tooth qui réagit par de petites convulsions, mais sans reprendre connaissance.

— Ces nègres méritaient de crever, tous de crever, ils pratiquent la magie noire. Ils crachent au visage de dieu, ils périront tous.

— Vous êtes tarés, tarés vous comprenez, vous êtes dingue.

Joshua perdit le contrôle de ses émotions, il commença à la rouer de coups. Elle tenta de remonter ses genoux sur son ventre pour se protéger, mais l'épuisement fit qu'elle s'écroula uniquement retenue par les poignets à son esse ; Joshua regarda son bras droit.

— Retrouvez-moi Dale et la gamine si elle est en vie, puis exterminez-moi cette vermine, faites-les souffrir puis butez-les toutes les deux.

— Dale et la petite, on les bute ?

— Non je veux le flinguer moi-même et ne touchez pas un cheveu de ma nièce.

Joshua reposa la machette sur le chariot puis s'éloigna, le grand portail métallique grinça et laissa entrevoir qu'il faisait jour, Joshua le referma derrière lui, laissant Sam et Tooth aux mains de leur geôlier.

— Alors on va prendre un peu de bon temps toi et moi, ta copine n'a plus trop l'air d'être en état, au fait, vu qu'on va être intime tous les deux tu peux m'appeler Stan.

— Enchanté sale con.

Sam réunit ses dernières forces pour propulser d'un coup de pied bien placé Stan par-dessus le chariot. Dans un fracas monumental, il embarqua le chariot dans sa chute, mais ne tarda pas à se relever et gifla Sam à maintes reprises.

— Je vais revenir salope, ne bouge pas. Il disparut au fond du bâtiment.

Elle resta pendue de longues minutes. Ces minutes devinrent des heures, était-ce encore le jour ? Elle se retrouva de nouveau isolée n'ayant pour d'autres activités que de regarder les parasites dépouiller les squelettes de nombreux lambeaux de chair encore bien présents. Dans son état, elle ne pouvait pas se fier à sa fatigue avancée pour avoir la moindre idée du jour qu'il était. Elle observa autour d'elle.

— Hé, hé Tooth, c'est bien comme ça que tu t'appelles non ?

La carcasse inanimée de la punk ne réagit pas le moins du monde.

— Hé t'es morte ?

— Naannn.

— Cool, ne t'inquiètes pas je vais nous sortir de là, ça va ? Pas trop de bobo ? La seule réponse qu'elle reçut fut un long râle à peine audible.

Elle tenta d'improviser autre chose, une chose qui la dégoûtait au plus haut point au risque d'avoir des haut-le-cœur. Elle serra les dents pour ne pas hurler puis commença à se balancer, les lanières lui cisaillaient les poignets, avec ses pieds elle réussit à agripper la carcasse du zombi gisant à ses pieds, faisant fuir par la même occasion une demi-douzaine de rats qui déjà se repaissaient de la chair délicate du corps.

Dans un dernier élan elle réussit à rapprocher le corps, mais sa grande déception fut lorsqu'elle comprit que piétiner le corps pour se libérer de l'esse ne suffirait pas, seuls ses poignets furent un peu soulagés ce qui fut déjà pas si mal.

La porte métallique, toujours dans un grincement qui était une torture à lui seul, la freina dans son entreprise, Stan, son bourreau réapparut.

— Eh bin, tu voulais me fausser compagnie ma belle, c'est pas très gentil ça.

Il tira le cadavre un peu plus loin et manqua de glisser sur une flaque de sang.

— Ah tu vois c'est toujours comme ça ma belle, Joshua est un impulsif, il fait des trucs et après c'est moi qui dois nettoyer les cochonneries.

Stan alla remplir le seau dans un vieux fut à l'hygiène plus que douteuse, le fait d'y plonger le seau fit remonter une forte odeur de vase, le premier finit sa course sur le visage de Sam, le second lui servit à diluer le sang parterre.

— Donc, nous en étions restés où tout à l'heure ma belle ? Ah oui, tu étais en train de me proposer d'être câline avec moi, mais voyons, je ne suis pas contre ? Tu es belle c'est sûr, mais je mets un point d'honneur à avoir une hygiène respectable, tu vois, entre nous, les gens ne sont pas très portés sur la propreté ici, mais ne crains rien je vais m'occuper de toi.

Il s'approcha d'elle et sortit son couteau de chasse, il commença à faire glisser la lame sur Sam, une joue, puis l'autre, elle lui cracha au visage. Elle s'attendait à y rester sur le moment. Cela aurait certainement abrégé ses souffrances, mais Stan recula, comme chagriné par sa réaction, il fouilla sur le chariot et extrait du bric-à-brac d'instruments rouillés (pour ceux qui étaient en bon état), un rouleau d'adhésif. Il en déchira lentement un bout avec ses dents laissant entrevoir un arc-en-ciel de couleur repoussante passant du jaune, du noir, au marron sous différentes intensités. Lui qui parlait d'hygiène, c'était un comble.

— Tiens ma belle, pour toi c'est cadeau.

Il posa calmement l'adhésif sur ses lèvres puis, à l'aide de ses pouces, termina de le plaquer comme il faut partant de la bouche vers ses joues, contrôlant que chaque petite bulle d'air soit évacuée.

La douceur avec laquelle il effectua le geste lui fit vraiment peur.

De l'autre main, avec la pointe du couteau, il récupéra une larme qui perlait de sa joue pour se mettre à la lécher frénétiquement en la regardant droit dans les yeux. Abreuvé de sa larme, la pointe du couteau glissa le long de sa joue puis découpa ses vêtements, doucement, sans hâte car il savait bien que plus il prenait son temps, plus cela lui paraissait insupportable. Il continua de jouer avec la lame, il arriva maintenant sur son cou, il appuyait par endroits, puis relâchait ensuite. Il jubilait en faisant de petits points de pression faisant perler une goutte de sang à chaque blessure. Il aimait lui faire comprendre qu'il ferait ce qu'il veut de sa vie et qu'à ce moment il serait Dieu.

La lame d'acier froide continua sa course et longea la carotide, descendit le creux de l'épaule, la lame caressa à maintes reprises sa poitrine nue.

— Assez joué ma belle, d'abord je vais te laver un peu.

Son intonation n'envisageait rien de bon pour elle si ce n'est qu'il s'éloigna un peu lui offrant quelques secondes de répit.

Il retourna remplir deux seaux. Au fur et à mesure qu'il vidait le fût, l'odeur pestilentielle envahissait l'atmosphère. Il n'était plus question d'appeler ce liquide saumâtre de l'eau.

— Il ne devrait pas tarder, je pense, ah le voici.

Le portail métallique grinça de nouveau, un homme en bure et cagoule tenait un seau dans chaque main. Il les déposa et referma le hangar le replongeant immédiatement dans une semi-pénombre.

Stan observa son petit manège avec une impatience d'enfant. Le visiteur s'empressa de lui poser la question qui lui brûlait les lèvres.

— Tu veux faire quoi avec ça ?

— La laver voyons, je ne suis pas un monstre elle a le droit d'être propre, allez laisse-moi maintenant. Le sectateur ne demanda pas son reste et repartit d'où il venait.

— De nouveau seuls ma belle.

Stan empoigna un seau et le lui balança, visant sa poitrine. Elle se mit à hurler malgré son bâillon.

— Hé oui c'est de l'eau bouillante, enfin presque bouillante, c'est trop chaud ? Oui ? Attends, on va arranger ça ma belle.

Stan prit un des seaux d'eau croupie et le vida d'une traite au visage de Sam qui hurla de plus belle, son visage et sa poitrine devenaient rouge vif, le choc thermique de l'eau chaude et froide était insupportable. Stan continua de plus belle en recommençant la manœuvre, eau bouillante et eau glacée, Sam était à deux doigts de l'évanouissement, le souffle coupé, ses larmes coulaient le long de ses joues brûlées, elle pleurait, mais ne réagissait plus lorsque l'eau la heurtait de plein fouet.

— Bien bien bien, maintenant que tu es mouillé il faut décoller la crasse ma belle.

Stan, une excitation malsaine au fond des yeux, se munit de ses pinces crocodiles et les fixa sur les seins de Sam, une décharge démultipliée par le contact avec l'eau la fit convulser, sa salive mêlée à du sang coulait le long de son cou, elle s'évanouit.

— Merde c'est pas marrant si t'es dans les vapes, je vais m'amuser un peu avec ta copine en attendant que tu reviennes à toi.

Stan gifla Tooth pour la réveiller, il recommença, comme pour Sam, à jouer du couteau, mais cette fois-ci le planta par petit coup sec se retenant pour que les blessures soient minimes.

— Vas-y pétasse, je veux t'entendre gueuler.

Stan posa sa tête sur sa poitrine, son visage changea, il devenait presque enfantin, tel un marmot cherchant le sein nourricier.

— S'il te plaît, pleure, crie, je veux t'entendre, j'en ai besoin.

Tooth se racla la gorge et lui cracha de nouveau au visage tout ce qui put sortir de sa bouche, salive, sang, débris de dents.

— Merci ma douce, tu veux donc jouer avec moi, on va jouer Princesse.

Il retourna calmement au chariot pour sélectionner avec soin une pince d'électricien, il embrassa les seins de Tooth puis lui lécha la joue.

Elle détourna du mieux qu'elle put son visage de Stan, mais il lui maintint la mâchoire fermement, Tooth regarda avec effroi la pince rouillée s'approcher de sa bouche, elle paniqua et se débattit avec hargne, il planta deux doigts dans ses narines, suffocante elle n'eut d'autres solutions que d'ouvrir la bouche.

Il s'acharna sur une molaire qui céda bruyamment, bruit couvert par le hurlement étouffé de Tooth.

— Ohhhhhhh ma jolie, tu es en bien mauvaise posture.

Sam releva doucement la tête, le baron, assis, jambes croisées sur le petit chariot regardait la fumée de son cubain danser dans les chaînes d'un vieux palan.

— Ton âme souffre ma jolie, si tu meurs je ne te garantis pas pouvoir la sauver.

— Samdi laisse cette pauvre fille tranquille.

Une femme très… trop bien portante apparut aux côtés du baron.

— Ma chéwie que fais-tu là ? lâcha le baron quelque peu surpris de la voir ici.

— Je te surveille Samdi et ne prends pas cet air avec moi, laisse-la mourir avant de prendre son âme. Sam observait la scène à demi-consciente.

— La voyante du marché, que fait-elle ici ?

— Oh pardon ma jolie je te présente ma femme : Brigitte.

Otis lui avait déjà parlé de la grande Brigitte, la femme du baron, protectrice des foyers, le baron avait l'air de lire dans ses pensées, elle s'en rendit vite compte.

— Ma jolie, je te demande pardon, mais je n'ai pas le choix, il faut que tu me donnes ton âme.

— Hors de question, tous vos trucs débiles c'est…

— Je ne te demande pas de croire, ton âme s'assombrit Sam, je la garderai près de moi en sécurité. Offre-la-moi avant qu'il ne soit trop tard.

Le baron s'approcha d'elle, lui souffla la fumée de son cubain à travers le visage et lui murmura à l'oreille.

Lè sa a, ap soufri kò ou Prezève ka nanm ou toujou ap sove. Lè sa a, ap soufri kò ou Prezève ka nanm ou toujou ap sove.

(Ton corps souffre alors préserve ton âme elle peut encore être sauvée.)

Sam rouvrit les yeux, il faisait toujours sombre dans le hangar. Le baron et la grande Brigitte avaient disparu, elle tourna la tête, Stan avait disparu lui aussi, elle eut des haut-le-cœur lorsque son regard se posa sur Tooth, la pauvre n'avait pu échapper à la perversion de Stan, le sang coulait à flots de sa bouche, de multiples brûlures sur tout le corps sans parler des nombreuses coupures. Cet enfoiré l'avait laissé se vider de son sang.

Elle se mit à marmonner, cela ressemblait à des lamentations, son bâillon d'adhésif l'empêchant de bouger les lèvres.

Plusieurs heures passèrent, Sam se demandait encore si Tooth était en vie, elle n'avait pas bougé depuis trop longtemps, elle avait peut-être eu la chance de mourir vite, qui sait ? La faim commençait à lui cisailler l'estomac, la soif aussi, combien de temps avait-elle passé ici ? Combien de temps cela allait encore durer ? Tous les jours, Stan leur rendait visite et tous les jours, seule Sam avait droit au traitement du psychopathe : eau bouillante, eau froide, les électrochocs, les coups, les lacérations, c'était devenu son quotidien, Tooth elle en réchappa, Sam s'en rendit compte bien plus tard qu'elle était morte, depuis quand ? Elle n'en savait fichtrement rien. Les rats avaient réussi par d'habiles manœuvres à lui grimper dessus, ils commençaient à la dévorer par les pieds tandis que les mouches, elles, s'occupaient du reste.

Peut-être deux ou trois jours plus tard, le portail métallique s'ouvrit en grand toujours dans un fracas d'enfer, Stan accompagné de Joshua et de quelques autres sectateurs s'approcha.

Joshua prit la parole.

— Bonjour Sam, vous êtes solide je vois, n'importe qui serait déjà mort, Stan voyons, enlève-lui son bâillon que nous puissions causer.

Il s'exécuta et l'arracha d'un coup sec, Sam recommença à marmonner. Anba... nan la Mwen... wo. mwen... pral to Pemenm demen...

— Qu'est-ce qu'elle essaie de dire là ?

— J'en sais rien, ça fait deux jours qu'elle pleure comme ça.

— On dirait qu'elle chante.

— Ouais c'est drôle.

— Drôle ? Tu te fiches de moi ? Quatre jours que tu la cuisines et... Elle chante ?

— Bin ouais, c'est bizarre plutôt que drôle.

Sam releva la tête et regarda Joshua droit dans les yeux. Anba je a nan kòk la.

Mwen pèdi wout mwen.

Mwen pral byento.

Petèt menm demen.

— Bordel de merde arrête de chanter. Joshua la gifla au visage.

— On comprend rien, tu parles comme ces nègres. Sam reprit de plus belle en chantonnant.

Sous l'œil du corbeau. J'ai perdu mon chemin. Je partirai bientôt. Peut-être même demain.

— C'est quoi ça ? Stan, passe-moi mon sac, attends ma jolie j'ai un cadeau pour toi, je suis sûr qu'il va te plaire, regarde ce que je te rapporte.

Joshua fouilla dans le vieux sac de jute plein de sang et en sortit une sorte de masse sombre pleine de poils, il s'approcha d'elle son trophée à la main, Sam eut un violent mouvement de recul se sectionnant un peu plus les poignets ; Joshua lui brandit sous le nez la tête d'Otis.

— Regarde, je t'ai apporté de la compagnie, ton copain le nègre. Sam chantonna de plus en plus fort et de façon plus audible. Anba je a nan kòk la.

Mwen pèdi wout mwen.

Mwen pral byento.

Petèt menm demen.

Anba je a nan kòk la.

Ki menase feblès mwen.

Paske si m'ale pi vit.

Bat bwavo l'evantyèlman.

Anba je a nan kòk la.

Tire oswa pann.

Te espere byento.

Mwen finalman resevwa nan.

Tire revanj oswa lanmò.

Anba je a nan kòk la. Li pral konnen pli vit.

(Sous l'œil du corbeau.

J'ai perdu mon chemin.

Je partirai bientôt.

Peut-être même demain.

Sous l'œil du corbeau.
Qui guette ma faiblesse.
Car si je pars bientôt.
Lui finira en liesse.

Sous l'œil du corbeau.
Fusillé ou pendu.
Pour espérer bientôt.
Recevoir enfin mon dû.
La vengeance ou la mort.
Sous l'œil du corbeau.
Lui, il le saura bientôt.)

Quoique les sectateurs faisaient, Sam chantait, encore et encore, Joshua s'énerva au plus haut point qu'il empoignât une bouteille d'alcool vide qui gisait au sol, une bouteille que Stan avait laissé traîner lorsqu'il faisait une pause entre deux séances de torture.

Ni Stan ni les autres n'eurent le temps d'intervenir, Joshua explosa la bouteille sur le crâne de Sam. Elle fut sonnée sur le coup.

— Et voilà, elle va la fermer sa gueule, Stan je t'en supplie mon ami, va la jeter aux alligators, ça ne m'amuse plus.

— Bien, et pour Dale on fait quoi ?

— Nous allons le cueillir dans l'après-midi, nos hommes quadrillent les marais sud et je te jure que le nègre qui est avec eux va souffrir, il a buté trois de nos hommes.

Sam ne reprit connaissance qu'en milieu de soirée, Stan était là, assis sur le chariot.

— Bin voilà ma belle, je suis désolé, mais entre nous c'est terminé, j'attendais ce soir.

Sam reprit en cœur :

— Sous l'œil du corbeau, j'ai perdu mon chemin, je part…

— Arrête ma belle s'il te plaît, je veux juste te parler.

L'intonation curieuse qu'il employa fit qu'elle stoppa net son refrain.

— Merci, tu vois, je vais te dire franchement, je crois en Dieu et je sais que ce n'est pas bien ce que je fais, mais je veux juste que tu comprennes que ce n'est pas ma faute, j'aime ça tu vois, j'aime écouter les gens hurler de douleurs sous mes doigts, oh j'irai en enfer, je le sais, mais je ne peux pas m'en passer.

Elle pencha la tête en arrière, son visage recouvert de sang, avait collé ses cheveux sur ses joues. Stan la regardait toujours, mais lorsqu'il croisa son regard il fut effrayé par ses yeux noirs, noirs et vides, vides d'émotions, un regard profond et insondable, noir comme jamais parmi ses victimes il n'eut l'occasion d'en voir, un regard où il était impossible d'entrevoir une quelconque humanité, il se surprit lui-même en constatant qu'à cause d'un simple regard il venait de se lever et avait fait instinctivement un pas en arrière.

Sam reprit de plus belle sa chanson mystérieuse alternant le créole qu'elle ne parlait pas et le français.

— Mais arrête bon Dieu, qu'est-ce qui te prend, arrête je te dis sale pute.

Stan se rua sur elle et commença à la frapper, frapper encore et encore jusqu'à ce que Sam, dans un ultime effort, réussisse à sauter et se libère de ses liens pour sauter à la gorge de Stan, ils basculèrent tous les deux au sol. Sam à son tour le frappa avec acharnement, Stan tentant de se défendre plaça ses mains devant son visage, bestialement, elle lui taillada les mains avec un morceau de verre brisé, celui-là même qui appartenait à la bouteille que Joshua lui explosa sur le crâne dont elle récupéra un morceau planté dans son cou.

— Mais arrête, je t'en supplie arrête.

Stan hurlait, telle une bête furieuse elle ne ralentit point la cadence de ces coups, ses mains ne ressemblaient plus qu'à un amas de chair informe, son sang giclait sur son visage, elle se releva péniblement puis l'arrosa de coups de pied. Ses côtes craquèrent les unes après les autres, Stan perdit connaissance. Elle ne s'en aperçut que bien plus tard, lorsqu'elle se calma un peu surtout à cause de l'épuisement.

La nuit était fortement avancée lorsqu'il reprit connaissance, la terreur s'empara de lui en comprenant qu'il était pendu comme un quartier de viande à l'esse de boucher réservé à ses victimes.

— Merde salope, détache-moi.

Sam le fixa toujours avec son regard vide.

— À mon tour de jouer maintenant.

Sam, épuisée, avachie sur le chariot, fouilla minutieusement sur le plateau, éparpillant les divers accessoires, encore indécise sur lequel utiliser en premier, Stan lui déblatéra toutes sortes d'insultes lorsqu'il comprit son intention.

La lune était haute lorsqu'une nuée de flamants s'envolèrent, rompant ainsi la quiétude de cette nuit étoilée.

La porte métallique grinça de nouveau vers le petit matin, Joshua, accompagné de trois de ses sbires envahit les lieux précédés de deux prisonniers cagoulés. Ils stoppèrent net à la vue du corps suspendu avec un sac sur la tête, corps, qui, vu la corpulence, ne pouvait pas être celui de Sam, Joshua s'approcha en gémissant.

— Non c'est pas possible, Stan, mais qu'est-ce qu'elle t'a fait bon Dieu. Stan ! Joshua pleurait son ami en tentant de le décrocher.

— Venez m'aider merde, il souffre, on doit le soigner.

Au sol Joshua ôta le sac de sa tête et constata les dégâts.

— Regardez-moi ça, cette pute l'a taillardé dans tous les sens, retrouvez-la-moi.

— On fait quoi des prisonniers Josh ?

— Vous me les gardez au chaud, mais…

— Mais quoi ?

— Qui a ouvert le portail ?

— C'est moi, mais pourquoi cette question ?

— Le cadenas était fermé ?

— Oui, je vois où tu veux en venir, mais elle a pu prendre la clé de Stan. Joshua fouilla précipitamment la poche du pantalon de Stan.

— Elle est toujours là, surveillez les issues.

Il tenait dans ses bras le corps végétatif de Stan en observant sa respiration lente et saccadée lorsque s'ensuivirent trois coups de feu, les hommes de Josh s'écroulèrent un à un sans qu'aucun ne puisse réagir.

Sam émergea de la pénombre du lieu, chancelante, mais debout, vêtue simplement d'un bout d'étoffe de la chemise de Stan, l'arme à la main elle la braqua sur le front de Josh puis décala sa visée sur Stan. La détonation du Colt 45 pulvérisa la tête de Stan éclaboussant Joshua qui tomba à la renverse.

— Staaaaaannnnnn !

— Ça fait quoi de perdre un ami Josh ?

— Tu me le paieras ça ma petite, je te jure que ça tu me le paieras.

Elle leva les yeux, Maggy et son père se tenaient là, ligotés, probablement capturés pendant la nuit. Elle les reconnut facilement malgré les sacs de jute présents sur leur tête.

— En attendant, va les détacher.

Josh obéit sans broncher et détacha le petit corps dévoilant le visage effrayé de la petite Maggy puis celui du révérend.

— Écoute-moi Sam, il faut me croire, tout ça, c'est la faute de Dale.

— Vous n'allez pas croire ce type Sam ? Voyons si vous ne le faites pas pour moi faites-le pour Maggy.

— Faire quoi révérend ? Le tuer ? Et vos principes religieux dans tout ça ? Dites-moi enfin la vérité Paul, ou dois-je vous appeler Dale ?

— Sam, si j'étais le salaud qu'il vous laisse supposer que je sois, j'aurai fait du mal à Maggy et regardez elle va bien ? Maggy dis-lui ma chérie.

— Je vais bien Sam, ne fait pas de mal à mon papa. Joshua s'énerva de plus belle.

— C'est pas possible, c'est toi qui à fricoter avec le diable, où est ce putain de livre Dale, réponds.

Joshua se jeta sur le révérend et essaya de l'étrangler. Il se figea net, le canon du 45 fumait encore, la chemise de Josh devenait rougeoyante, souillant la tenue du révérend, mais malgré tout il se retourna en titubant.

— Le… livre Dale.

Il s'écroula à ses pieds, Sam ne baissa pas sa garde et maintenait son arme pointée sur le révérend.

— Dernier avertissement Paul ou Dale qu'importe, où est ce putain de livre ?

Le révérend baissa la tête puis fit naviguer son regard entre Sam et Maggy.

— Il est en lieu sûr Sam, mais sachez que je n'ai jamais voulu tout ça.

— Voulu quoi ? Le pouvoir ? Régner sur la Louisiane ? Tous ces gens sont morts, tous les gens que j'aimais sont morts, et tout ça à cause de ce bouquin ? Vous n'avez jamais voulu tout ça ? Où sont passés les cadavres de tous ces gens, ceux du cimetière de Morgan City ? Ceux du cimetière tribal ?

— C'est un accident Sam, un malencontreux accident.

— Un accident ? Vous me prenez pour une conne ? Et Maggy ? Vous y avez pensé ? Vous alliez la sacrifier ? Elle a déjà perdu sa mère.

— Non Sam, maman est revenue.

— Comment ça revenue ? Ne dis pas ça Maggy, c'est pas possible ma chérie, ta maman est au ciel.

Tout s'embrouilla dans la tête de Sam, comment le révérend avait-il pu ressusciter les morts sans pour autant sacrifier son propre sang ? Joshua avait-il menti ? La porte d'acier gronda de nouveau.

— Olok ? Olok !

— Sam, tu es vivante ? Mais que fais-tu ?

Olok regarda autour de lui la pile de cadavres qui jonchaient le sol.

— Ils sont tous morts Olok, mais je n'arrive pas à comprendre ce qui est arrivé aux morts de la ville.

— Bonne nouvelle, moi je sais, ils errent dans les marais.

— Comment ça dans les marais ?

— Quelqu'un a dû utiliser le livre Sam, les morts marchent, tout seul et les alligators s'en donnent à cœur joie.

— Mais ce n'est pas possible alors si ce n'est pas vous révérend qui cela peut-il être ? Excusez-moi.

— Ce n'est rien Sam, je vous comprends, je comprends vos doutes et vos interrogations, cette histoire est très perturbante je dois l'admettre.

Il posa la main sur l'arme de Sam pour baisser le canon vers le sol, puis s'en empara.

— C'est fini Sam, tout est fini.

Il la serra dans ses bras et elle se mit à pleurer à n'en plus finir.

— Je suis désolé Paul, vraiment désolé. Olok se baissa devant la petite Maggy.

— Alors Maggy c'est comme ça que tu t'appelles n'est-ce pas, ça va ?

— Oui monsieur, c'est vous l'amoureux de Sam ? Vous avez l'air gentil.

— Chut c'est un secret.

— C'est quoi le secret ? Que vous êtes gentil !

— Non voyons que je suis son amoureux.

Machinalement, Olok porta la main sur le col de la petite Maggy pour le réajuster.

— Il est joli ton foulard Maggy.

— Oui c'est mon papa qui me l'a donné, il était à ma maman, le foulard et le parfum.

— Le parfum ? Oui c'est vrai dis-moi, tu sens les fleurs.

— Oui et je suis content que Sam n'ait pas tué mon papa, il n'a rien fait mon papa, il m'a même soigné quand je me suis blessé.

— Ah bon tu t'es blessé ? Il est génial ce papa et tu t'es blessé en jouant ?

— Je ne sais pas, un jour je me suis réveillé avec un bobo.

— Bin ça alors ? Quel genre de bobo Maggy ?

— Tiens regarde.

Maggy détacha son foulard et montra à Olok son petit bobo au cou, les yeux d'Olok s'agrandirent d'un seul coup, il n'eut pas le temps de se retourner.

— Saaaammmmmmmmm !

Les yeux de Sam s'agrandirent également quand le couteau glissa entre son diaphragme et son estomac évitant de justesse les points vitaux.

— P... pourquoi ?

Ses mains glissèrent des épaules du révérend pour rejoindre sa blessure, le révérend se tenait toujours là, debout devant elle.

— Désolé Sam, mais vous n'auriez pas dû jouer les bons samaritains et tout cela ne serait peut-être pas arrivé.

Olok se précipita sur Sam.

— Sam Non !

Le sang d'Olok ne fit qu'un tour, il se releva et molesta le révérend, la haine qui l'avait envahi le rendait invincible, la lame du révérend lui trancha net l'avant-bras sur une bonne quinzaine de centimètres, Maggy hurlait à ne plus pouvoir s'arrêter, Dale, d'un crochet bien placé envoya Olok au sol à travers les ustensiles de Stan, éparpillés un peu de partout.

Le révérend ramassa le 45 et le pointa sur Olok.

— Papa arrête je t'en supplie, ça suffit.

— Ne t'en mêle pas ma chérie, c'est une histoire entre grandes personnes.

Dale appuya sur la détente, mais rien ne se passa, le chargeur était vide, Olok la main sur un tranchoir tombé du chariot, sectionna d'un seul coup la main du révérend et hurla à Olok.

— C'est trop tard, la partie est finie, ils sont tous morts.

Le révérend tenta de ramasser une barre de fer, mais Olok, rapide comme l'éclair, lui planta le tranchoir dans le creux de l'épaule, Dale s'écroula au sol et se mit à ricaner.

— Et tu comptes faire quoi maintenant sale petit bâtard ? Tu es tout seul.

— Qu'importe, les miens seront vengés au moment où ce tranchoir finira dans votre crâne. Le révérend manqua de s'étouffer avec le sang qui coulait de sa bouche.

— Pfffff vas-y alors, achève-moi.

— Maggy, retourne-toi veux-tu.

Maggy enfouit son visage dans ses mains, incapable de la moindre réaction.

— Arrêtez je vous en supplie.

Olok prit son élan, la large lame sépara presque la tête du reste du corps de Dale, Olok tomba à genoux et prit le corps inanimé de Sam dans ses bras.

— Je t'en supplie Sam ne meurt pas, ne meurt pas.

Olok pleurait à chaudes larmes, Maggy restait là, silencieuse, comme paralysée par la scène à laquelle elle venait d'assister, son père, son papa chéri, le papa qui aurait dû être un dieu pour une enfant n'était qu'en définitive qu'un monstre psychopathe, comment une petite fille pouvait-elle se remettre d'une chose pareille.

— Sam je t'en supplie, ne meurs pas, regarde-moi, je t'aime Sam, je t'aime. Il releva la tête et s'excusa devant Maggy.

— Je suis désolé ma petite, vraiment désolé de tout ça.

— Elle est morte tu penses ? Pourquoi tous ceux que j'aime meurent, c'est pas juste.

— Rien n'est juste tu sais, le monde n'est pas juste, à toi de comprendre ce qui est bien ou pas, ne suis pas le chemin de tous ces gens.

Olok et Maggy se regardaient fixement dans un silence absolu. Ils restèrent ainsi quelques longues minutes jusqu'à ce qu'Olok, excédé balbutia :

— Regarde autour de toi, tu crois vraiment que ça en valait la peine ?

Maggy plaça son index devant sa bouche.

— Chuuuuuuuuuuuuuutt !

— Quoi ?

— Tu entends cette chanson ?

— Quelle chanson ? Je n'entends rien.

— Si, un corbeau.

— Je n'entends rien je t'assure, c'est quoi ce corbeau ?

— C'est Sam elle chante.

— Que dis-tu voyons, elle ne peut pas chanter, elle est... non c'est dans ta tête.

Maggy regarda autour d'elle et se mit à chantonner à son tour. Sous l'œil du corbeau.

J'ai perdu mon chemin.

Je partirai bientôt.

Peut-être même demain.

Sous l'œil du corbeau.
Qui guette ma faiblesse.
Car si je pars bientôt.
Lui finira en liesse.

Sous l'œil du corbeau.
Fusillé ou pendu.
Pour espérer bientôt.
Recevoir enfin mon dû.
La vengeance ou la mort.
Sous l'œil du corbeau.
Lui, il le saura bientôt.

Olok resta impassible, mais écouta la chansonnette de la petite Maggy sans jamais cesser de pleurer, serrant Sam de plus en plus fort dans ses bras, son visage enfoui dans sa chevelure.

— T... tum... tumé.
— Quoi ? Sam, t'es vivante !
— Tum... tumèt...
— Chut ne parle pas, économise tes forces, oh Sam j'avais si peur que tu sois morte.
— Tu m'étouffes.
— Pardon ma chérie, pardon Sam Maggy, Sam est vivante.

Olok manqua de l'étouffer en l'embrassant, les larmes coulaient de plus belle, mais de joie cette fois-ci.

Ils sortirent de l'abattoir, le soleil dissipait timidement la brume matinale, Olok tenait Sam dans ses bras, Maggy lui caressait les cheveux. Ils prirent lentement le chemin du motel.

Ils marchèrent des heures durant parcourant les forêts de saules disséminés autour des étangs, ceux – ci même que Sam trouvait toujours à dire qu'ils donnaient un côté mystérieux à ce lieu quand le soleil peinait à traverser les feuillages. Ce lieu même, le bayou, aussi splendide que dangereux, ces alligators, ces chiens léopards, les chauves-souris vampires géantes, mais étrangement ce matin était calme. Pas d'âme qui vive et ce jusqu'à la « quatre-vingt-dix », la « quatre-vingt-dix » qui reliait jadis Lafayette à La Nouvelle-Orléans.

Plusieurs semaines passèrent et Olok, durant tout ce temps, prit soin de Sam qui se remettait doucement. La petite Maggy, elle, veillait à son chevet dans le vieux motel. La tribu d'Olok avait mené un bon nombre de raids afin de purger l'errance de plusieurs centaines de morts-vivants rendant plus sûrs les marais.

Sam était assise sur un bloc de béton devant sa chambre, elle tirait sur une Morley en profitant du chant des oiseaux, Maggy était à ses côtés.

— C'est quoi Sam cette histoire de livre ?

— C'est compliqué tu sais, c'est un livre qui rend les gens fous.

— Mon papa aussi ?

— Oui bien sûr ma chérie, ton papa était gentil.

— Il était fou mon papa ?

— Oui euh non, enfin non, mais à cause du livre il ne savait plus ce qu'il faisait. Tu sais, il devait souffrir beaucoup, mais il ne le montrait pas pour ne pas te faire de peine. Il ne faut pas lui en vouloir.

— Mais il a essayé de te tuer Sam.

— Oui c'est vrai, mais comme je te l'ai dit, il ne savait plus ce qu'il faisait, alors non je ne lui en veux pas.

— Et il est où ce livre ?

— Je ne sais pas Maggy, je ne sais pas.

— Tu sais Sam, j'ai entendu un secret.

— Et tu me dis ça pour que je te demande de me le révéler ?

— Oui, mais je te le dirai pas.

— Alors crache le morceau petite peste.

— Non dans tes rêves.

— Dis donc t'as vu comment tu me parles toi, tu vas voir, tu as de la chance que je ne puisse pas encore courir.

Sam fouilla dans sa poche et sortit une poignée de petites billes marron et en goba une.

— C'est quoi ça ?

Sam en goba une seconde.

— Allez Sam, c'est quoi ?

— C'est un secret mademoiselle Margareth.

— Je peux goûter ?

— Sûrement pas non, ce n'est pas bon pour les enfants.

— Pourquoi ?

— Parce que ce sont des fèves de cacao grillées, écrasées avec de l'eau puis mélangé avec du sucre de canne qu'une vieille dame de Morgan City me vendait.

— Ça a l'air bon !

— C'est délicieux tu veux dire, un vrai régal.

— Je peux en avoir ?

— Non !

— Allez steuplait !

— Non n'insiste pas.

— Si, j'insiste.

— À une condition alors.

— Vendu.

— C'est quoi ce secret ?

— Grrrr, Sam, tu devrais avoir honte de procéder à ce chantage exclusivement dans le but d'assouvir ta curiosité. À moins que cela ne soit l'extrapolation de tes visions mégalomanes qui tendent irrémédiablement à conforter ton égocentrisme.

Sam resta bouche bée, permettant ainsi à la bille de chocolat de s'enfuir de sa bouche. Elle regarda Maggy qui faisait des yeux ronds de chien battu.

— Euh ! T'as voulu dire quoi là ?

— Que c'est d'accord !

— D'accord pourquoi ?

— Pour le secret, mais il n'est pas très important.

— Comme ça c'est pas important ? Tu attises ma curiosité pour finalement me balancer « hi hi hi c'est pas important » tu te moques de moi ? Allez, tiens, goûte ces billes au cacao.

Sam lui en offrit une poignée, Maggy les observa sous tous les angles avant de les goûter, la bouche pleine Maggy regarda Sam l'air amusé.

— Je te disais donc : c'est un secret pas très intéressant, c'est juste qu'Olok va te demander en mariage.

— Ah c'est tout, et tout ça pour ça ?

— Je pensais que cela te ferait plaisir de le savoir.

— De savoir qu'Olok veut m'épo… pardon Olok veut quoi !

Olok arriva au même moment.

— Olok ? J'ai encore fait quoi moi ?

Les deux filles se regardèrent et répondirent en chœur.

— Non non rien.

— Bon bin regardez ce que j'ai trouvé, une bouteille de vin intact génial non ?

— Oui cool.

— Tu n'as pas l'air ravi Sam.

— Bin en fait c'est pas terrible le vin.

— Tu as déjà goûté ?

— Oui avec Hubert James.

— Tu as bu du vin avec Hubert James ?

— Oui dans le manoir, nous étions tombés sur la cave et il y avait plein de bouteilles.

— Mon papa allait souvent dans la cave à vin, c'est marrant.

— Qu'est-ce qui est marrant Maggy dans le fait d'aller dans la cave à vin ?

— Bin c'est qu'il n'en buvait pas.

— Alors pourquoi y allait-il ?

144

Le sang de Sam ne fit qu'un tour.

— Le livre.

— Quoi le livre ?

— Il est dans la cave à vin.

— Pourquoi ça ?

— Pourquoi aller dans une cave à vin si l'on en boit pas ?

— Mon papa m'y a emmené une fois.

— Et pour faire quoi ?

— Je ne me souviens plus c'est bizarre en fait.

— Qu'est-ce qui est bizarre Maggy, le fait de ne plus te rappeler ?

— En fait, j'arrive pas à me rappeler ce qui s'est passé avant.

— C'est pas très grave ma chérie tout cela est très traumatisant.

La nuit fut très agitée pour Sam, les rares fois où elle arrivait à trouver le sommeil, d'affreux cauchemars faisaient surface, du coup, elle resta assise au creux de son « Chesterfield » comme disait Hubert James, le regard absent devant la télévision.

— Mais qu'est-ce tu fais Sam ? Réagis !

— Maria ? C'est toi ?

— Et qui veux-tu que ce soit ?

— Tu veux que je réagisse à quoi ?

Maria prit progressivement le visage du Baron.

— Tu saignes Sam.

Elle regarda sa plaie à l'abdomen.

— Mais, mais elle avait cicatrisé.

— Les morts ne cicatrisent pas ma jolie.

— Mais c'est absurde je ne suis pas morte.

— C'est normal que tu penses cela, pour une âme perdue il est toujours difficile d'admettre la mort.

— Je comprends rien, c'est un cauchemar.

— Pas un cauchemar Samantha, pas un cauchemar. La mort n'est pas une chose ignoble, alors viens avec moi.

La vue de Sam se troubla, elle se frotta les yeux puis comme par magie, elle était là, assise dans son Chesterfield, mais plus au motel, perdue au beau milieu de nulle part, sur un chemin, ou plus précisément une intersection, celle de quatre chemins menant on ne sait où.

— Et voilà Sam, te voici à la croisée des chemins alors choisis le bon et je pourrai peut-être sauver ton âme.

— Mais où sommes-nous ? Otis apparut devant elle.

— Tu poses beaucoup trop de questions 112.

— Otis ? Mais je croyais que tu étais…

— Je le suis, comme tous les autres et comme toi.

— MORT ? Je suis réellement morte ?

Le baron intervint de nouveau :

— Techniquement non ma jolie, le passage de la vie à la mort se fera lorsque tu auras choisi ton chemin. Un pour l'enfer, un pour le paradis et le dernier représente l'errance.

— L'errance ?

— L'errance est pire que l'enfer ma jolie, ton âme errera à travers le monde des vivants à tout jamais. Sam reprit un instant de lucidité.

— Tout cela n'était qu'une immense mascarade, et ce depuis le début n'est-ce pas, monsieur le baron ?

— Une mascarade ? Ma jolie, voyons, ton ventre te fait-il toujours aussi mal ? Ah non bien sûr que non puisque tu es dans l'autre monde.

Sam touchant instantanément sa plaie, elle saignait abondamment, mais elle ne ressentait aucune douleur.

— Il me suffit de faire demi-tour et je ne meurs pas, c'est aussi simple que ça.

— Ne joues pas à cela avec moi jeune fille.

Venue de nulle part, Maggy apparut en courant dans la direction de Sam.

— Maggy ?

— Sam !

— Mais que fais-tu là ?

La petite blondinette s'arrêta devant elle et Sam la prit dans ses bras.

— Oh Maggy, ma pauvre Maggy, ne t'inquiète pas on va se sortir de là ma grande, je te le promets.

— C'est trop tard Sam.

Le baron intervint de nouveau.

— Margareth non, tu n'as pas le droit.

— Je dois partir Sam, tu dois détruire le livre, promets-moi que quoi qu'il se passe détruit-le. Sam eut un mouvement de recul à l'énoncé de Maggy.

— Mais pourquoi dis-tu ça ma chérie ?

Maggy leva la tête, son visage était se putréfiait à vue d'œil et commençait à être dévoré par les vers.

— Oh mon Dieu !

— Ton Dieu n'a rien à voir là-dedans Samantha.

— Maggy, qu'est-ce que vous lui avez fait ?

— Moi ? Mais rien, elle est morte, c'est tout.

— Comment ça morte ?

Le baron prit une violente inspiration, si violente que les cheveux de Sam dansaient dans l'air, Maggy fut aspirée par le baron.

— Maggyyyyyy.

— Sammmmm le livvvvvrrrrreeeee.

— Wahou, désolé.

— Qu'avez-vous fait de Maggy ?

— Elle… est morte, vous savez on vit, on meurt, on pourrit, c'est le cycle des choses.

— Mais elle n'est pas morte.

— Si elle l'est.

— Non je vous dis qu'elle n'est pas morte.

— Si, je vous dis que si.

— Pfff nan.

— Cessons cette puérile conversation.

— Oui nous allons la cesser et tout de suite, vous m'avez dit que je serai morte dès que j'aurai choisi un chemin, c'est cela ?

— À votre aise ma jolie, je suis ravi de vous voir revenir sur le bon chemin, pouaaaa le bon chemin ! Mortel comme je suis drôle moi, vous avez compris ? Le bon chemin, pour choisir un chemin, je la ressortirai celle-là.

Sam tourna le dos au baron.

— Héééé tu vas où ma jolie ?

— Je retourne chez les vivants.

— Mais, mais, mais tu ne peux pas.

— Je vais me gêner, je ne suis pas morte, alors vous n'avez aucune influence sur moi, alors lui c'est le paradis, lui l'enfer, lui l'errance, donc il en reste un, celui d'où je viens, forcément.

Sam disparut dans l'obscurité du chemin, la grande Brigitte apparut à côté du baron.

— Tu t'en rends compte Samdi, tu te rends compte de ce que tu viens de faire.

— C'est pour la bonne cause Brigitte.

— Elle devait mourir, Mwa sera furieux, tu entends.

— Oui, mais sa tâche n'est pas terminée, elle doit détruire le livre.

— Et c'est une raison pour la rendre folle cette pauvre fille ?

— C'est étrange.

— Qu'est-ce qui est étrange Samdi ?

— Cette capacité.

— Pas de devinette avec moi Samdi.

— Cette capacité qu'elle a de survivre et c'est sa folie qui la sauvera Brigitte, sa folie, elle aurait dû mourir enfant dans cet abri et déjà à cette époque la mort n'a pas voulu d'elle.

Une lueur blanchâtre aveugla Sam, puis plus rien, le néant, jusqu'à ce qu'elle entende au loin.

— Saaaammmmmmmmm !

Les yeux de Sam s'agrandirent quand le couteau glissa entre son diaphragme et son estomac.

— Pourquoi ? fit-elle.

Sa main glissa de l'épaule du révérend pour rejoindre sa blessure, le révérend se tenait là debout devant elle, impassible.

— Désolé Sam, mais vous n'auriez pas dû jouer les bons samaritains, tout cela ne serait peut-être pas arrivé.

— J'ai déjà… vous vous répétez Paul.

Sam s'écroula au sol, Olok se précipita sur elle.

— Sam non !

Le sang d'Olok ne fit qu'un tour, il se releva et molesta le révérend qui n'eut pas le temps de réagir. La haine qui l'avait envahi le rendait invincible, la lame du révérend trancha net son avant-bras sur une bonne quinzaine de centimètres, Maggy hurlait à ne plus pouvoir s'arrêter, Paul, d'un crochet bien placé envoya Olok au sol à travers les ustensiles de Stan éparpillés un peu de partout. Il ramassa le 45 de Sam et le mit en joue.

— Papa arrête, je t'en supplie, ça suffit.

— Ne t'en mêle pas ma chérie, c'est une histoire entre grandes personnes.

Dale, alias Paul (ou l'inverse) appuya sur la détente, mais rien ne se passa, le chargeur était vide, Olok la main sur un tranchoir tombé du chariot, sectionna d'un seul coup la main du révérend et hurla à Olok :

— C'est trop tard, la partie est finie, ils sont tous morts.

Le révérend tenta de ramasser une barre de fer, mais Olok lui planta le tranchoir dans le creux de l'épaule, Dale s'écroula au sol et se mit à ricaner.

— Et tu comptes faire quoi maintenant sale petit bâtard ? Tu es tout seul.

— Qu'importe, les miens seront vengés au moment où ce tranchoir finira dans votre crâne. Il manqua de s'étouffer avec le sang qui coulait de sa bouche.

— Pfffff vas-y alors, achève-moi.

— Maggy, retourne-toi veux-tu.

Maggy enfouit son visage dans ses mains, incapable de la moindre réaction.

— Arrêtez je vous en supplie.

Olok releva le bras, le tranchoir tendu vers le ciel, Paul ne chercha même pas à se protéger. Il prit son élan, un dernier mort après une longue série puis tout sera enfin terminé.

— Olok !

Il stoppa net son bras vengeur et se rua sur Sam, il se jeta à genoux et prit son corps à demi conscient dans ses bras.

— Ça va ? Sam, réponds-moi, ne ferme pas les yeux, ne meurs pas, ne meurs pas. Olok pleurait à chaudes larmes au-dessus du visage de Sam.

— Sam je t'en supplie, reviens à toi, je t'aime Sam, je t'aime.

— Et... bin... ça y est... tu... te décides à le dire...

— T'es vivante ? T'es vivante, j'ai cru qu'il t'a poignardée.

— Je ne sais pas, j'ai pas compris, comme si je... m'attendais... à prendre ce coup... de couteau, j'ai pu le... retenir... du coup... la lame n'est pas... trop rentrée, j'en ai marre.

— Marre de quoi Sam ?

— De... me faire tuer... c'est fatigant à la fin.

Olok aida Sam à se relever avec précaution, oubliant un instant Paul, un trop long instant qui lui lassa le temps de s'éclipser.

— Maggy ?

— Elle a disparu aussi.

— Son père l'a enlevée, il faut les retrouver.

— Non Sam je suis là, mais mon papa m'a laissé ici.

— Ouf je suis contente que tu ailles bien Maggy.

— Euh, Sam, en parlant de Maggy…

— On discutera plus tard, il faut le retrouver.

— Dans ton état ? Tu rigoles ? Et dans le sien ? Il ne doit pas être très loin, bouge pas. Olok se retourna lorsqu'un vieux palan lui heurta le visage, le révérend réapparut.

— J'allais pas te laisser en vie sale bâtard.

Le temps qu'il se relève, le révérend lui balança de nombreux coups de pied, Sam tenta de l'arrêter avec une barre de fer en le frappant avec derrière le genou avec le peu de force qu'il lui restait, déséquilibré, Olok put se redresser et l'empoigna par le col, il le souleva du sol et le relâcha pour finir sa course empalé sur l'esse du palan. Olok se laissa tomber au sol.

— C'est fini, c'est fini Sam, cette fois c'est vraiment fini.

La petite Maggy, hystérique, hurlait, Sam la prit dans ses bras et tenta de la réconforter, comment pouvait-on réagir à cet âge lorsque son père meurt violemment sous ses yeux.

Olok s'en voulait d'avoir infligé cela à cette pauvre enfant, il les observait toutes les deux. La scène le perturba, il fallait voir comment Sam, blessée, tenait et embrassait la gamine en passant ses doigts dans ses cheveux.

Plusieurs jours passèrent, Sam, convalescente, passait le plus clair de son temps dans son lit. Olok prenait soin d'elle de façon un peu excessive, la petite Maggy restait inconsolable et passait le plus clair de son temps sous un plaid multicolore tendu entre les deux Chesterfield si cher au cœur d'Hubert James.

Sam passait son temps à la regarder, à contempler sa tristesse sans savoir quoi faire et encore moins quoi lui dire.

Olok revenait de la chasse lorsqu'il aperçut Sam, dehors, le pas encore hésitant.

— Mais tu n'es pas en état, reste couchée.

— Si, ça va et il faut qu'on parle tous les deux.

— Ça tombe bien moi aussi j'ai un truc à te dire.

— Je t'écoute.

— Je suis retourné à l'abattoir aujourd'hui.

— Pour quoi faire ?

— Bons ou mauvais, tous ces gens méritaient une tombe.

— Je le conçois, c'est généreux de ta part, mais j'ai l'impression qu'il y a un « mais ».

— Exact, il n'y avait plus aucun cadavre là-bas.

— Comment ça « aucun cadavre » ?

— Aucun, personne.

— Tu veux dire qu'ils ont servi de casse-croûte aux alligators ?

— Non, il n'y a pas de trace du moindre mort, là-bas, quelqu'un les a emmenés, un alligator aurait laissé des traces, des chiens léopards également.

— Et le révérend ?

— Non plus.

— Merde c'est quoi cette histoire, moi qui croyais que c'était terminé.

— Je pense que c'est à cause du livre.

— Comment ça à cause du livre ? Le révérend n'a pas accompli le rite ! quelqu'un d'autre l'aurait-il fait ?

— Bin ça c'est le problème, c'est bien le révérend qui a uti…

La conversation fut interrompue par Maggy qui se mit à hurler d'un seul coup, Sam se précipita à sa rencontre, suivie de près par Olok.

152

— Qu'est-ce qu'il y a ma chérie, ça va ? Tu n'as rien ?

— Pardon Sam, j'ai encore fait ce vilain rêve.

— Ça passera ma chérie, ça passera.

— Tu crois que maman pardonnera à papa ?

— Bien sûr ma chérie, c'est évident, maintenant c'est à toi de lui pardonner.

— Oui Sam, t'as raison, je veux bien apprendre à pardonner, mais je sais pas faire.

— Ça viendra tout seul avec le temps, alors dis-moi ma chérie ? C'était quoi cette fois ce rêve ?

— Comme d'habitude, avec mon papa on descend dans la cave.

— Et c'est tout ?

— Non il y a le feu, je suis enfermé dedans.

— Et ?

— Et c'est tout là je me réveille et après j'ai mal de partout comme si je m'étais brûlé.

— Alors tu sais quoi ?

— Rajoute un truc dans ton rêve.

— Je dois rajouter quoi ?

— Le fait que je serai toujours près de toi pour te protéger ma chérie.

Dans l'après-midi, Sam et Olok se baladaient seuls, le long de la quatre-vingt-dix, Maggy refusant toujours de sortir.

— Mais comment tu sais ça toi ?

— C'est Joshua qui m'avait raconté ça, je sais qu'il était taré, mais j'ai aussi l'impression qu'il ne m'a pas menti.

— Il savait où était le livre ? Et s'il l'avait fait récupérer ?

— Non pas le livre, je le sais parce que… parce que… je sais pas, je le sais c'est tout, c'est étrange je suis sûr de savoir où il est.

— Et tu dis ça maintenant ?

— Oui, mais je me rappelle pas.

— Tu le sais c'est tout ? Et tu te rappelles pas ! Vous êtes bizarre vous les femmes.

— Mais tu m'aimes quand même non ? Et tu trouves pas bizarre qu'un homme aime les femmes bizarres ?

— Bin non.

— Non tu ne m'aimes pas ? C'est sympa.

— Si je t'aime, je t'aime plus que tout, mais je n'aurais pas dû te dire ça comme ça.

— Au moins, il n'y a pas d'ambiguïté, c'est pas comme avec le bouquet de fleurs.

— Quoi le bouquet de fleurs ?

— Bin t'avais l'air un peu con avec ton bouquet à la main sans savoir quoi dire.

— Con ? Moi ? Et toi t'as vu ta tête, je t'offrais un bouquet tu tirais une tronche on aurait dit que je t'avais offert un macchabée.

— Oui bon d'accord, on est quitte.

— Mouais si tu le dis, ça t'arrange de couper court à la discussion.

— Olok.

— Quoi ?

— Tu te rends compte « MON CHÉRI » que c'est notre première engueulade.

— Pffff, t'es aussi délicate et sympathique qu'un chien léopard qui vient de se faire sectionner une patte par un alligator.

— Tu auras beau dire ce que tu veux, maintenant que tu m'as avoué que tu m'aimais tu en assumeras les conséquences.

— Qu'est-ce qui te prouve que je n'ai pas dit ça comme ça ?

Sam s'écroula au sol sans prévenir, victime d'un mal aussi mystérieux que soudain, Olok se précipita, complètement paniqué.

— Sam, Sam qu'est-ce qu'il y a ?

— Tu vois, tu te précipites à mon secours « mon chéri ».

Olok la laissa retomber au sol lourdement.

— Aieee, je suis blessé moi.

— C'est vrai pardon, dois-je faire le nécessaire ?

— Il y a intérêt oui.

Olok dégaina sa machette et regarda Sam.

— Et bin comme tous les animaux blessés, on les achève.

Sam écarquilla les yeux et se releva en moins de temps qu'il en fallut que le dire.

— C'est bon, c'est bon, on continue, t'as pas d'humour.

Le trajet fut long et relativement silencieux, peut-être un faux mouvement ou bien le chahutage précédent, sa blessure se remit à saigner. Elle épongea plusieurs fois sa plaie qui refusait de se refermer, mais sans grande gravité. La brume commençait à dévorer le bayou, le soleil, pudique, se cachait tandis que l'immense croissant de lune prenait possession du ciel étoilé, tout avait l'air si paisible, si calme, Sam était allongée sur son lit, Olok se contentait de l'observer, émergeante.

— T'es sûr que ça va Sam ?

— Oui ne t'inquiètes pas, mais, mais où sommes-nous ?

— On est chez toi.

— Comment ça chez moi ? Mais que s'est-il passé ?

— Nous nous promenions lorsque tu t'es évanouie.

— Évanouie ? Je m'en souviens pas, enfin si un peu, mais ça va maintenant.

— Tu es sur parce que tu n'as pas l'air bien je trouve.

— Si si je t'assure, où est Maggy ?

— Mais laisse-la vivre cette gosse, excuse-moi d'être brutal, mais tu n'es pas sa mère.

— Peut-être, mais je suis la seule personne qu'il lui reste.

Sam se releva de son lit et s'écroula aussitôt parterre, Olok la ramassa et la recala dans son lit.

— Écoute Sam arrête tes conneries maintenant, tu as vu dans quel état tu es, qu'est-ce qu'ils t'ont fait là-bas ? Tu t'affaiblis de jour en jour, tu n'as plus que la peau sur les os, tu ne manges quasiment plus.

— Je ne préfère pas en parler.

— Et pourtant tu devrais, comment veux-tu que je t'aide ? Tu fais semblant d'être heureuse, je ne suis pas dupe.

— Je préfère tirer un trait sur ces deux ou trois jours si cela ne te dérange pas.

— Pardon ? T'es resté combien de temps là-bas ? Deux jours ? Trois jours ? C'est une blague.

— Sais pas, deux jours environ enfin je crois, ils m'ont capturé le jour où Hubert a été tué, puis je me suis échappé, mais resté cacher sous une pleine lune c'est pas facile.

— Pleine lune ? Tu te fous de moi là t'es sûr ?

— Oui je sais encore reconnaître la pleine lune pourquoi cette question ?

— Je te crois, mais ça veut également dire que tu es restée prisonnière pendant huit jours.

— Comment ça huit jours, c'est pas possible ?

— Si, mais comment ça se fait que tu ne t'en sois pas rendu compte.

— Il faisait noir, je ne distinguais plus le jour de la nuit, mais huit jours ça me paraît gros.

— Écoute, je t'aime je te l'ai dit, mais tu es étrange j'ai de plus en plus de mal à te reconnaître.

— Comment ça, j'ai pas changé, je suis toujours moi-même.

— J'ai l'impression qu'ils t'ont fait des choses, des choses qui t'ont changé Sam, je ne sais pas, regarde toutes tes blessures voyons, c'est pas en te cachant dans les fourrées.

— Mais non je t'ass...

— Je dois me faire des idées alors.

— C'est gentil de t'inquiéter, mais nous devons y aller.

— Ne te fais pas de soucis, en venant nous avons croisé un groupe de chasseurs du village, ils sont allés au manoir voir si ta miraculeuse vision s'avérait juste.

— Te fous pas de ma gueule Olok « allons voir ta miraculeuse vision », largua-t-elle en essayant d'imiter sa voix.

— Je ne me fous pas de toi, mais tu as peut-être déliré qui sait, tu sais, des fois rien que le fait de ne pas manger et, mais au fait, tu as faim ? Ils te filaient à manger quand même.

— Non.

— Non ? Non tu n'as pas faim ?

— Non ils ne m'ont rien donné à manger, mais je veux bien que tu me prépares un truc.

— Te préparer un truc ?

— Quoi, monsieur le grand et beau guerrier ne sait pas faire à manger ?

— Bin si je sais, mais...

— Mais quoi ? C'est le boulot d'une femme de cuisiner ?

— Non non, j'ai jamais rien dit de tel, je vais voir ce que tu as à manger je reviens.

— Fais donc ça « MON CHÉRI ».

Olok disparut dans la chambre d'à côté qui servait à Sam de cuisine.

— Et amène donc ta bouteille de vin.

— Quelle bouteille de vin ?

— Eh bin celle que tu as ramenée lorsqu... le rêve, la cave à vin...

— J'entends pas !

Il fallut bien cinq minutes avant qu'il ne réapparaisse dans le salon une boîte de conserve à la main.

— Dis, c'est quoi cette histoire de bouteille ? Et tu peux me dire comment s'ouvre cette boîte ? Il y a un problème, ils ont dû oublier de faire un côté avec un couvercle ? Sam ? Tu dors ? T'es là ?

Elle avait profité de ce temps imparti pour se faire la belle. Olok pesta un moment puis se délesta de la boîte « South Louisiana Pet Cannery Chili Con Carné ».

— Ah quelle garce celle-là, elle m'a bien eue, elle et son caractère de merde.

Olok à l'endurance bien trempée ne mit que quelques minutes pour rattraper la fuyarde.

— La balade est bonne j'espère ?

Sam se retourna, surprise qu'Olok soit déjà là.

— Une heure pour rejoindre le manoir ma chérie, c'est bien au manoir que tu te rends ? Tu t'attendais bien à ce que je te rattrape à la vitesse où tu vas.

— Oui mais je pensais pas si vite j'avoue.

— Je sais que je me répète, mais t'as vu ton état Sam, un alligator sur le dos irait plus vite que toi. Honteuse, elle baissa les yeux comme si elle souhaitait expier sa faute auprès d'Olok.

— C'est bon t'as gagné, qu'est-ce qui se passe ?

— Merci Olok, je te jure je ne sais pas pourquoi je le sais, mais le livre est là-bas et puis il faut retrouver Maggy, elle est partie au manoir, j'en suis sûre, d'un coup la mémoire m'est revenue.

— En parlant de Maggy, je voulais te dire un…

— Tu sais, tu finiras par l'adorer cette gamine, elle est si gentille, si douce et tu te rends compte la pauvre, perdre sa maman est déjà une terrible épreuve, mais à côté du fait de voir son père devenir un monstre, je pense pas que l'on puisse imaginer ce qu'elle ressent.

Olok attristé par les propos de Sam se tut et ils reprirent ensemble le chemin du manoir.

— On discutera après, continuons, mais saches que c'est juste pour ne pas te contrarier, tu délires et puis elle ne risque rien si elle est partie là-bas, les chasseurs du village le surveillent au cas où.

— Ah bon, alors tant mieux, parce que le livre est là-bas, j'en suis sûr.

— Si tu le dis, tu tiens ça d'où ?

— D'un rêve étrange.

— D'un rêve ? Je confirme tu n'es pas bien du tout.

— J'ai pas envie de m'engueuler avec toi alors STOP.

Le reste du trajet fut d'une tristesse à pleurer, aucun des deux ne voulait prononcer le premier mot, signe de faiblesse ou de soumission qui admettrait forcément la supériorité de l'autre.

Arrivés au manoir, avec beaucoup de mal pour Sam, elle voulut entraîner Olok par le petit souterrain de l'homme à la fourchette géante lorsqu'Olok la tira par le bras.

— Et par là non ? C'est plus simple.

— Merde c'est donc par ici qu'ils étaient rentrés, allons-y.

Quelqu'un avait incinéré la grande porte qui donnait du manoir au jardin d'hiver, la fragilisant assez pour pouvoir la défoncer.

Olok pénétra, la machette à la main, suivi de Sam, ils se retrouvèrent dans le petit salon.

— Je devrai passer devant Olok.

— Tu rigoles pas un peu, tu n'es pas armé.

— Peut-être, mais moi je sais où se trouve la cave à vin. Il soupira longuement.

— Vas-y passe devant alors, mais soit très prudente.

Ils arpentèrent les longs couloirs jusqu'au lieu du massacre où Hubert James, la protégeant, perdit la vie.

— Stop.

— Quoi stop ?

— Où sont les corps ?

— Quels corps Sam !

— C'est ici qu'Hubert James est mort en me sauvant la vie.

— Merde je suis désolé Sam, je savais pas.

— Et la chose ? Elle a disparu aussi.

— Quelle chose Sam ? De quoi est-ce que tu parles ?

Elle s'enfouit le visage dans les mains et pleura de nouveau.

— Qu'est-ce qu'il y a Sam ? Sam réponds-moi, tu me fais peur.

Elle se mit à hurler de façon hystérique en gesticulant dans tous les sens.

— Me touche pas.

— Mais voyons Sam qu'est-ce qui t'arrive ? Calme-toi.

Dès qu'il posa la main sur elle, elle se mit à le frapper à mains nues, il hésita encore à se défendre, il tenta de la maîtriser, mais telle une Harpie elle ne lui laissait pas la moindre chance. Olok eut un mouvement de recul lorsqu'elle sortit de nulle part un revolver et le pointa sur lui.

— Sam merde fais pas la conne, Sam.

— Tu l'as tué ? Tu l'as tué espèce de monstre.

— Mais tué qui ? Sam bordel, reprends-toi.

— Retourne en enfer.

— Sam.

La déflagration retentit et résonna dans l'immensité du manoir, Olok tomba à terre, Sam resta là, absente, déconnectée de la réalité. Son corps était bien là, certes, mais rien d'autre, l'arme à la main, elle resta immobile. Olok gisait au sol et ne bougeait plus.

— Qu'as-tu fait Sam ?

Elle ne réagit même pas au son de la voix de Maggy.

— Ne t'inquiète pas Samantha, il n'est pas mort.

Elle releva la tête lentement, ses cheveux lui couvraient le visage.

— Il connaissait mon secret Samantha, je vais te le révéler.

Sam, inconsciemment, se pencha vers Maggy prête à recevoir ce fameux secret, la blondinette joignit ses mains autour de l'oreille de Sam.

— Tire, Sam qu'est-ce que tu fous ?

Elle releva la tête sans pour autant réagir. L'odeur nauséabonde viciait l'air ambiant, Olok, pris à partie par la colossale créature se contentait d'esquiver le fusil-mitrailleur qu'elle utilisait comme massue.

— Sam bordel, réveille-toi, qu'est-ce que tu fous ?

Il n'eut comme réponse que le bruit métallique du revolver qui tomba sur le sol.

Trop tard, Olok fut projeté contre le mur avec une violence inouïe, la « chose » le ramassa comme une vulgaire poupée de chiffon, elle s'apprêtait à broyer son crâne dans ses mains lorsque Sam revint à elle, tirant de toutes ses forces sur un épais rideau de laine rouge, la tringle de métal forgée se décrocha, Sam l'attrapa au vol. La pointe acérée, avec une bonne dose d'élan, se logea dans le plexus de la créature pour en ressortir entre les vertèbres et l'omoplate gauche, elle ne cessa pas de maintenir la pression, continuant de l'enfoncer en la remuant de droite à gauche comme pour accentuer la douleur pour qu'enfin au bout d'une poignée de secondes ; une éternité pour le pauvre Olok, elle le lâcha. La chose hurla à en faire trembler les murs, d'un revers de la main elle envoya Sam traverser le couloir sans toucher terre, sa chute fut amortie par quelqu'un, c'est en se redressant qu'elle eut la frayeur de sa vie. Le couloir était envahi, envahi de tribaux, d'habitants de Morgan City, des sectateurs malheureusement tous morts. Elle retomba instinctivement sur les fesses et tenta de reculer, pour elle le choix était cornélien, mourir déchiquetée par des zombis ou broyée dans les bras attentionnés de cette créature diabolique.

Olok était-il mort ? En tout cas s'il l'était, il avait plus de chance de s'en sortir que Sam, bien vivante et prise pour cible par à peu près tout ce qui bougeait dans le manoir, elle profita de l'aubaine, elle plongea entre les jambes putréfiées du colosse et elle-même, prit ses jambes à son cou.

— Par ici Sam.

— Maggy ? Mais bordel qu'est-ce que tu fous là ?

— Suis-moi.

— Je peux pas laisser Olok.

— Tu ne peux rien faire Sam, s'il fait le mort, il a une chance de s'en sortir. Elles descendirent toutes les deux dans la cave à vin.

— Mais Maggy c'est un cul-de-sac voyons.

— La réponse est ici Sam.

— Comment ça, la réponse ?

— Mon rêve, mes rêves tournent autour de cet endroit, je suis sûr que le livre que vous cherchez est ici.

— C'est ce que je crois également Maggy, alors cherchons, mais avant, aide-moi à mettre ce tonneau derrière la porte, cela nous fera gagner un peu de temps.

Les filles redoublèrent d'efforts et parvinrent à bloquer la porte, déjà les zombis se massaient derrière la porte en grognant.

— Bon on est tranquille pour un moment.

— Oui Sam, cherchons maintenant.

Elles retournèrent la cave dans tous les sens, les casiers à bouteilles, les tonneaux, les armoires, en vain. Elles passèrent plusieurs dizaines de minutes à fouiller chaque recoin de la cave.

— Tu sais Sam, je suis désolé, tout ça est de ma faute.

— Comment ça de ta faute ? Mais non tu n'y es pour rien ma chérie.

— J'étais sûr que le livre se trouverait ici et il n'y est pas.

— Je le croyais aussi ne t'inquiètes pas.

— On fait quoi maintenant Sam ? On va mourir ?

— Je ne vais pas te raconter de mensonges Maggy, mais on est mal barré.

— Vu qu'on va mourir ici on peut tout se dire Sam, tu sais pour moi la mort n'est qu'une étape.

— Une étape ? Comment ça Maggy ? Qu'est-ce que tu racontes ?

— Oui parce qu'après on va au ciel Sam et je pourrai retrouver maman.

— Une petite fille de ton âge devrait craindre de mourir, tu sais. Enfin un peu.

— Qu'est-ce qu'il fait sombre ici et dire qu'avec Hubert nous étions partis avec le chandelier ?

— On n'a qu'à prendre les bougies qui sont dans l'armoire.

— Quelle armoire ?

— Tout à l'heure en fouillant l'armoire du fond j'ai trouvé plein de boîtes de bougies, tu sais les mêmes que dans les églises.

— Ça s'appelle des cierges ma chérie, allons les chercher.

Elles allumèrent une bonne douzaine de cierges un peu partout dans la cave, puis Sam décrocha un rideau de lin du mur qui servait sûrement à la décoration.

— Tiens ma chérie, enroule-toi là-dedans il fait un peu froid ici.

— Merci Sam, tu es très gentille.

— Mais de rien.

— Dis ?

— Quoi ?

— Je peux te poser une question ?

— Oui bien sûr.

— Il est comment ton amoureux Sam ?

— Mon amoureux ? Bin il est grand, il est fort, il est très gentil.

— Et vous allez vous marier ?

— Non ma chérie, je ne crois pas.

— Oh, mais pourquoi ? Il ne t'aime pas ?

— Si, il m'aime, mais…

— Mais quoi ?

— Il doit être mort à l'heure qu'il est, et tout ça par ma faute.

Sam, assise le dos contre un tonneau, donnait des coups de tête en arrière comme pour s'auto-infliger une punition dûment méritée, elle se remit à pleurer.

— Ne pleure pas Sam.

— Excuse-moi Maggy, excuse-moi, mais là j'en peux plus, je craque.

La fillette se serra contre Sam et l'invita à s'enrouler sous la couverture.

— Il ne faut pas pleurer Sam, il faut être forte.

— Moui t'as raison, mais c'est plus facile à dire qu'à faire tu sais, puis je comprends plus rien moi.

— Tu ne comprends plus quoi, dis ?

— Cette histoire, je ne comprends pas, je ne comprends pas pourquoi les morts marchent alors que ton père n'a pas accompli le rituel, je ne comprends pas qui a pu se servir du livre.

— Nous sommes amies Sam ?

— Mais bien sûr ma chérie, pourquoi cette question ?

— Parce que j'ai quelque chose à t'avouer.

— M'avouer quoi Mag ?

— Le livre.

— Le livre ? Tu sais où il est ?

— Oui.

— Mais alors parle Maggy, parle, dis-moi où il se trouve et comment le sais-tu ?

— Je le sais à cause d'un rêve Sam, mais je ne me rappelle plus.

— Un rêve ? Vas-y raconte.

— Je rêvais sans arrêt, je courrais dans un immense champ de coton, il faisait beau et tout à coup un grand corbeau se retrouve devant moi.

— Un corbeau ?

— Oui, il se trouve là, devant moi, il fait mine de picorer, lève la tête, me regarde avec insistance et me dit.

— Comment ça il te dit ?

— Oui, il me dit ou plutôt il me chantonne un truc.

Maggy posa sa tête sur l'épaule de Sam et poussa la chansonnette.
Sous mon œil de corbeau.

Tu as perdu ton chemin.

Tu partiras bientôt.

Peut-être même demain.

Sous mon œil de corbeau. Moi guettant ta faiblesse. Car si tu pars bientôt.

Je finirai en liesse.

Sous mon œil de corbeau. Fusillé ou pendu.

Pour espérer bientôt. Recevoir enfin mon dû. Ta vengeance ou ta mort. Sous mon œil de corbeau. Moi je le saurai bientôt.

Sam enchaîna les paroles en marmonnant en cœur avec Maggy. Sous l'œil du corbeau.

J'ai perdu mon chemin.

Je partirai bientôt.

Peut-être même demain.

Sous l'œil du corbeau.

Qui guette ma faiblesse.

Car si je pars bientôt.

Lui finira en liesse.

Sous l'œil du corbeau.

Fusillé ou pendu.

Pour espérer bientôt. Recevoir enfin mon dû. La vengeance ou la mort. Sous l'œil du corbeau.

Lui, il le saura bientôt.

— Mais je connais ça, j'ai ça dans la tête depuis un bon moment.

— Moi c'est pareil, je crois que c'est un signe.

— Comment ça un signe ? Un signe de quoi ?

— Oui, regarde là-bas, le corbeau est ici.

Un splendide et énorme corbeau se trouvait là, posé sur une armoire à outils, en entendant les filles chanter, il balançait sa tête de gauche à droite en faisant claquer son bec.

— Comment il est arrivé là lui ?

— Je te l'ai dit Sam, c'est un signe.

Maggy se releva et s'approcha du corbeau qui ne parut pas très farouche, elle vida l'armoire de toutes ses bricoles et la poussa tant qu'elle put le faire, toujours sous l'attention du volatile qui semblait impatient.

— Que fais-tu Maggy ? fit Sam en la rejoignant pour lui prêter main-forte.

— Le livre est ici Sam.

Maggy s'agenouilla et commença à démanteler une brique du mur apparemment mal scellée, puis une deuxième également chancelante jusqu'à ce qu'elle puisse plonger son petit bras dans la cavité ainsi formée.

Elle extirpa un petit sac de jute plein de terre, l'essuya précautionneusement.

— C'est le livre ? Maggy réponds-moi ! c'est le livre ?

— Oui c'est lui Sam, c'est bien lui.

— Merde alors, je finissais par douter de son existence, fais voir.

Maggy tendit le livre à Sam qui le contempla sous toutes les coutures.

— Mais…

Sam voulut lâcher le livre, mais quelque chose l'en empêchait.

— C'est de la peau, de la peau humaine.

— Et il est écrit avec du sang, je crois bien.

— Il ne faut pas perdre de temps Maggy nous devons le détruire, mais une chose me chiffonne.

— Et quoi donc Sam ?

— Qui s'en est servi alors ? Si le livre est ici, ça ne peut être que ton père ? Ton père ou…

— Moi.

— Comment ça toi ? C'est impossible.

— C'est moi qui me suis servi du livre Sam.

— Mais ce n'est pas possible Maggy, le rituel ? Les morts, non ce n'est pas possible.

— J'ai fait une bêtise Sam, je m'en excuse.

166

— Et ton père ?

— Il s'en est servi également.

— Comment ça Maggy explique-moi, je comprends rien, je suis larguée.

— Et bin en fait, bin.

— Bin quoi Maggy, dis-moi tout.

La petite Maggy se rapprocha d'une botte de cierges dansants éclairant son petit visage pâle et ses mèches blondes comme les blés, elle dénoua son petit foulard, celui-là même que son père lui avait donné en précisant qu'il appartenait à sa maman et qu'elle ne devait jamais le quitter.

Le regard de Sam se figea.

— Mais c'est quoi ça ?

— C'est une coupure Sam.

— Une coupure ? Tu rigoles tu étais à deux doigts de te faire égorger.

— Tu n'as rien compris Sam.

— Compris quoi ma chérie, arrête de tourner autour du pot.

— Je ne fais plus partie de ce monde Sam.

— Pardon ?

— Je suis morte, morte comme ces choses dehors.

Sam recula de quelques pas et perdit tous ses moyens, le choc fut un peu trop violent pour elle, elle ne savait plus que faire. Son esprit s'embrouillait.

— Comm... morte... mais... non... c'est... faux...

— Si Sam, c'est la vérité.

Elle finit d'enlever son petit foulard, Sam ne put que constater l'évidence des faits, la petite Maggy avait eu la gorge tranchée quasiment d'une oreille à l'autre.

— C'est ton père qui a fait ça ? Hein dis-moi.

— Ne lui en veux pas Sam, je vais t'expliquer.

Maggy remit son foulard et commença son explication que Sam écouta religieusement en pleurant toutes les larmes de son corps.

— Voilà, mon papa a trouvé le livre un jour sans trop savoir ce que c'était, il était dans la bibliothèque du manoir, il fit rapidement le rapprochement avec ces légendes vaudous et il mit le livre en lieu sûr. Quelques jours après la mort de maman, Papa était si triste qu'il n'avait plus que la mort en tête, jusqu'à ce que lui revienne cette histoire de livre, ça a fini par l'obséder, mais il n'eut jamais le courage de passer à l'acte, ne croyant pas le moins du monde à ces fumisteries païennes comme il disait.

— Mais qu'est-ce qui l'a fait changer d'avis, Maggy ?

— Peu de temps après la mort de maman je suis tombé malade, comme elle, j'avais de la fièvre, je ne pouvais plus manger sans vomir, en quelques jours je suis tombé dans le coma et après je ne me souviens plus trop. Je me rappelle vaguement avoir repris conscience quand il m'a fait une piqûre, il m'a pris dans ses bras, je me souviens juste qu'il pleurait, pleurait en me demandant pardon.

— Oh mon Dieu, ton père t'a donc sacrifié, je suis désolé Maggy.

Sam prit la petite blondinette dans ses bras et la serra fort contre elle.

— Si tu savais comme je suis désolé Maggy.

— Papa m'a sauvé Sam, tu le comprends ?

— Sauvé ?

— J'allais mourir Sam, il a fait cela avant que je ne meure pour pouvoir utiliser le livre.

— Mais ?

— J'étais la seule famille qui lui restait, sans moi il ne pouvait plus utiliser le livre. Je serai morte.

— Tu es morte Maggy, morte, ton père a joué avec le diable.

— Mais je suis là et maintenant c'est lui qui est parti.

— Tu t'en rends compte ? Tous ces morts, ils marchent, ils attaquent les gens et ça, c'est de sa faute.

— Non Sam, tout ça, c'est de ma faute.

— Ne dis pas de bêtises Maggy ? Pourquoi serait-ce de ta faute, qu'as-tu fait ?

— C'est moi qui me suis servi du livre.

— Pardon ?

— Je voulais faire revenir maman, mais papa me disait qu'on ne pouvait plus pour une histoire de sang.

— Ce que Joshua disait, c'était la vérité alors.

— J'ai procédé au rituel avec mon propre sang, j'étais morte, je me suis dit que je n'en avais plus besoin et le rite a mal tourné, j'ai dû mal faire un truc.

— C'est plutôt qu'utiliser le sang d'un mort pour ressusciter un mort, ça a bien dû jouer son rôle, Maggy, bordel, tu as réfléchi aux conséquences de tes actes ?

— Je vais tout arranger Sam, je te le promets, après tout, il suffit de détruire le livre non ?

— Le détruire ? tu rigoles ma petite, tu sais ce qui va arriver si tu le détruis ?

— Je ne suis pas idiote Sam, je le sais bien, mais tout rentrera dans l'ordre et je serai de nouveau avec papa et maman.

— Non Maggy, comment tu peux dire un truc pareil, il est hors de question que je te laisse faire.

— Tu n'as pas le choix Sam.

— Bien sûr que si, nous allons trouver une solution.

— Tu veux faire quoi ? Tuer des gens ? Des gens qui sont déjà morts ! t'arranger pour qu'il ne reste que moi ! c'est ridicule Sam, tu sais très bien que c'est la seule solution.

— Tu as raison Maggy, nous allons faire ce qui doit être fait pour tout remettre dans l'ordre.

Sam se releva et sélectionna avec soin des bouteilles méticuleusement alignées dans les racks. Maggy l'observa sans un mot. Elle disposa les bouteilles d'alcool sur le gros tonneau orné de ces cierges puis se mit à déchirer tous les rideaux et tapisseries qui donnaient à l'endroit un aspect feutré.

— Que fais-tu Sam ?

— C'est facile Maggy, je ne t'abandonnerai pas, nous partirons ensemble.

— Comment ça, ensemble ?

— Oui ensemble tu as bien compris, à ton avis ça brûle bien de l'Armagnac ?

Elle bourra les morceaux de tissu dans les étagères de bois après les avoir trempés dans divers alcools forts.

— Gleen ch'ai pas quoi, trente ans d'âge, à ton avis c'est trente ans avant la Grande Guerre ? Ça fera l'affaire ! Elle ouvrit la bouteille et descendit une bonne rasade.

— Tu en veux Maggy ? fit-elle en recrachant le surplus de Whisky par le nez.

— C'est de l'alcool Sam, j'ai pas le droit d'en boire.

— Pas le droit ? Mais tu es toute seule maintenant et en plus tu es morte alors qu'est ce qui t'en empêche ? Pas moi en tout cas, ça va pas te tuer.

— Calme-toi Sam, tu n'énerves pour rien.

— Pour rien ? je rêve là, tu me dis de me calmer, alors que mon futur fiancé est crevé là, dehors par ma faute, qu'Otis se soit fait décapiter, qu'Hubert James ai fini comme une passoire et ce : encore par ma faute, que ton père qui était mon ami soit mort aussi et je ne parle pas d'un zombi qui me demande de me calmer, tu crois que je devrais réagir comment ? Hein comment ?

Maggy, choquée du comportement de Sam se mit à pleurer, Sam réalisa que son excès de colère était puéril, honteuse de ce « pétage de plomb », elle réalisa qu'elle venait de traiter Maggy de zombi, elle se calma et tenta de recouvrer ses esprits.

— Écoute Maggy, je te demande pardon, je ne voulais pas…

— Ch'ui pas un zombi.

— Je suis nulle Maggy, excuse-moi, je t'en supplie ma chérie.
Maggy attrapa une bouteille de Qianti blanc.

— Arrête. Je pensais pas ce que je disais Maggy, ne bois pas, ce n'est pas bien pour les petites filles.

— C'est pas pour boire Sam.

— Ah bon ? Et c'est pourquoi faire ma chérie ?

— On fait un dernier câlin ?

— Bien sûr ma chérie, merci de me pardonner.

Tandis que Sam se baissa pour la prendre dans ses bras, Maggy prit son élan et explosa la bouteille sur le crâne de Sam qui s'écroula direct au sol.

— C'est à mon tour d'être désolé Sam, mais je n'ai pas le choix.

Un peu plus tard, ce fut le calme après la tempête, le bayou était le théâtre d'une incroyable migration d'animaux en tous genres. Les pélicans bruns dans un bruissement d'enfer s'envolaient par nuées, les alligators, eux, restaient bien au frais au fond des marais. Les survivants disséminés par petits groupes aux quatre coins de la région arrêtèrent leurs occupations, tous regardaient en un seul point, le manoir, ce manoir qui avait créé tant de légendes, un soupçon de vérité pour certaines, farfelues pour d'autres, le manoir, majestueux jusqu'à son dernier souffle sous l'épais manteau de fumée qui le couvrait, crachant des flammes tel un dragon. On pouvait apercevoir la douleur suinter de ses murs, les boiseries cédèrent les unes après les autres, tels des hurlements qui faisaient froid dans le dos. Voilà qui aurait de quoi alimenter de nouvelles légendes, la complainte du manoir face à sa mort.

Sam ouvrit un œil, les flammes si proches auraient vite fait de la dévorer lorsqu'elle réalisa qu'elle n'était plus dans le manoir, une goutte de sang perla sur son front, en portant la main dans ses cheveux elle repensa à Maggy.

— Maggy, la bouteille.

Elle se releva et gesticula dans tous les sens devant le ravage des flammes.

— Maggy nonnnnnnn, qu'est-ce que t'as fait Maggy ?

Impuissante, elle se laissa tomber à genoux, les mains sur son visage elle recommença à pleurer et supplier pour que toute cette histoire n'ait jamais eu lieu.

— Maggy, pourquoi t'as fait ça, c'est un cauchemar, un véritable cauchemar, sanglota-t-elle.

— Non ma jolie, il faut dire : C'était. Le cauchemar est maintenant terminé.

Sam releva la tête, le baron, étrangement, était calme, il ne dansait pas dans tous les sens, il était assis près d'elle, admirant le spectacle et tirant machinalement sur son cubain.

— Si ce n'est pas navrant, une si belle cave à vin... et si remplie. Mais bon, ne t'inquiète pas ma jolie, la petite Margareth va pouvoir terminer son errance, je vais t'offrir un cadeau Samantha.

— Un cadeau ? De quoi parlez-vous ?

— Oui un cadeau, le livre est détruit, certes, c'est fâcheux, mais nous n'avions plus le choix, je vais en baver avec mes Gédés, ils vont devenir incontrôlables ma jolie, ça me laisse présager de longs moments délicats, mais bon, chacun son problème comme on dit : On ne creuse pas une tombe tant qu'on a pas un cadavre à mettre dedans. Je disais donc : je veillerai personnellement à ce que Margareth puisse retrouver la paix dans les bras de sa maman, je te dois bien ça.

Sam ne regardait pas le baron, elle contemplait l'incendie et son épaisse fumée noire. Ses mots lui confirmèrent que Maggy s'en était allée, pour la deuxième fois si l'on peut dire. Elle ne savait pas comment réagir, être soulagée ? Être investie du plus grand des chagrins. Pour Maggy, c'est évident, mais pour le reste, là c'était autre chose.

— Et pour son père, que va-t-il se passer ? Et pour mes amis ?

— Son père ? Ah ah ah ah je ne peux rien faire pour lui ma jolie, mais je prendrai soin de tes amis c'est promis, parole de Gédé.

— Mais...

Le baron avait de nouveau disparu. Sam resta de longues heures durant, assise, les genoux repliés sous son menton le visage enfoui dans ses avant-bras. Le feu ondulait avec toujours autant d'intensité, il dansait comme pour fêter le renouveau d'une Louisiane meurtrie par ces événements. Ce n'est que le lendemain après une pluie torrentielle que le brasier se tut, Sam, toujours assise là, ne bougeait plus, lorsqu'elle releva la tête et qu'elle s'aperçut que les ruines étaient enfin accessibles, elle se rua à la recherche, la recherche de quoi ? Elle ne le savait pas elle-même, mais qu'importe, inconsciemment elle savait qu'elle ne retrouverait pas la dépouille de Maggy, ni celle d'Olok.

Des gens naissent avec une bonne étoile au-dessus de la tête, d'autres n'ont pas cette chance et il y a Samantha, Sam, celle dont la mort ne voulait pas, ou tout au moins ne réussissait pas à prendre.

Survivante miraculée d'un abri, survivante encore aujourd'hui, parfois ne vaut-il mieux pas céder à la douce invitation de la mort plutôt que de subir la mort de tous ses proches ? Hubert James a finalement prolongé la vie de Sam pour qu'elle puisse assister à la mort de ses amis. Otis qui la chérissait comme sa propre fille, mort pour avoir respecté les mêmes idéaux de Sam. Olok disparut dans les flammes tout simplement pour avoir aimé Sam et tenté de la protéger, la petite Maggy, Margareth, l'amie de Sam, celle qui fut la main déclencheuse de cette nouvelle apocalypse. Maggy qui sans le vouloir a fait que Sam reste en vie coûte que coûte, lui sauver la vie pour simplement survivre ? Survivre avec toute cette culpabilité, tous ses amis sont morts, elle, elle est en vie, à elle d'accepter cette punition, pour subir la culpabilité du sacrifice de ses proches, pourquoi ? Pleurer ses amis pour avoir tout simplement tenté de sauver le diable en personne...

Plusieurs semaines s'écoulèrent dans le bayou, la Louisiane reprenait le cours de sa vie, les magnolias embaumaient les sous-bois, les oiseaux étaient eux aussi revenus, pélicans, martins-pêcheurs, huppes et autres habitants du marais, créant une mélodie gracieuse rendant unique la Louisiane. Le motel, le motel de la quatre-vingt-dix, à mi-chemin entre Lafayette et la Nouvelle-Orléans, le petit motel où Sam resta cloîtré durant des jours, des semaines, jusqu'au jour où des bruits de pas se firent entendre de l'extérieur. Sam, assise sur son Chesterfield ressemblait à une poupée de chiffon, elle ne réagissait à aucun stimulus quelconque ; la porte s'ouvrit doucement laissant entrevoir une jolie jeune femme à la peau mate d'une petite vingtaine d'années.

— Elle est là. Sam, ça va ?

Olok poussa la porte violemment.
— Sam ma chérie, on te croyait morte.

Il la serra fort dans ses bras, mais très vite, il eut un mouvement de recul.
— Sam ? Hou hou Sam ?

Elle le regarda puis posa son regard sur sa cousine Zayana, puis repassa encore en revue de ses profonds yeux noirs Olok et Zayana à tour de rôle sans prononcer le moindre mot, sans la moindre expression.
— Qu'est-ce qu'elle a Olok ?
— Je ne sais pas, Sam réponds-moi.
— On dirait une poupée de chiffon.
— C'est pas une poupée Zayana, oh Sam dit quelque chose je t'en supplie, tu étais où ? Sam, le manoir, comment tu as fait pour t'en sortir ?
— Elle est en état de choc on dirait. Elle n'a vraiment pas l'air bien.
— Tu m'étonnes, t'as vu comme elle est maigre. Sam, tu as mangé ? Tu veux quelque chose ?

— Je suis pas sûr qu'elle t'entende.

— On va la ramener au village.

— Non Olok, tu sais très bien ce qu'ils pensent d'elle.

— Ils se trompent c'est tout.

— Depuis cette histoire, ils mettent tous les blancs dans le même panier et tu le sais bien.

— Alors je reste ici, tu m'apporteras des vivres quand tu pourras, je prendrai soin d'elle.

— Si tu veux, mais j'ai des doutes sur le fait qu'elle aille mieux un jour.

La discussion fut vaine, Olok lui fit promettre de passer le voir régulièrement.

Il s'occupa de Sam durant des jours entiers, sans jamais se lasser, puis des semaines, des semaines entières où il s'occupa d'elle sans faillir, s'absentant de temps en temps pour lui ramener quelques babioles en guise de cadeau, parfois même du gibier, même si le plus souvent il devait la faire manger. Au début seulement, à sa grande satisfaction, elle commença à se resservir de ses mains, à manger maladroitement.

Un beau jour Olok rentra de la chasse et la trouva assise devant la chambre du motel, assise sur un bloc de béton, il eut même droit à un sourire. Euphorique Olok la serra dans ses bras et pleura de joie au creux de son épaule. Pour Olok la vie pouvait reprendre de nouveau auprès de sa chère Sam. Puis le temps passait, Sam attendait Olok, parti on ne sait où, machinalement, elle extirpa une Morley sèche de son paquet et observa le paysage, un bruit de pas se fit entendre.

— Olok ? C'est toi ?

Tel ne fut pas sa surprise, Sam parlait de nouveau, il aurait pu définitivement être l'homme le plus heureux du monde mais ce ne fut pas Olok qui vint à la rencontre de Sam.

— Bonjour Sam.

— Bonjour Zayana.

— Sam, c'est génial, tu as l'air d'aller mieux, beaucoup mieux on dirait.

— Mouais.

— Olok est-il ici ? Je le cherche de partout.

— Non, sais pas où il est.

— Bah il reviendra bien, sinon toi ça va ?

— Tu m'as déjà demandé.

— Oui pardon, mais j'avoue être...

— Bonjour Zayana, salut ma chérie.

Olok prit Sam dans ses bras et la serra fort.

— Tu m'étrangles.

— Sam, tu parles de nouveau, c'est super.

— Oui, mais là je vous laisse suis fatigué.

— Oui, va t'allonger un moment si tu veux.

Sam rentra dans sa chambre en allumant une nouvelle cigarette, Zayana la regarda s'éloigner puis posa son regard sur son cousin.

— Et que comptes-tu faire Olok, tu ne vas pas rester ici éternellement.

— Et pourquoi pas ? Si la tribu continue de croire que tous les blancs sont pareils, je me battrai jusqu'à ce qu'ils l'acceptent.

Sam réapparut sur le seuil de la porte.

— Bonjour Olok, bonjour Zayana.

— Sam ? Tu es debout ? Mais tu viens de...

— Je viens de quoi ? Jour Zayana ça va ?

— Ça va bien merci et toi tu te remets bien on dirait, répondit Zayana quelque peu étonnée de son comportement.

— Oui merci, ça, c'est grâce à Olok et à Maggy, en parlant d'elle où est-elle ?

— T'es sûr que ça va Sam ?

— Oui bien s... non excusez-moi, mais je retourne m'allonger ; là, j'ai la tête qui tourne.

— Repose-toi Sam, tu en as besoin.

— À bientôt 112.

— Pour info Zayana, comme je le dis des dizaines de fois par jour à Otis, je ne viens pas du 3A112

— Ah bon, mais alors pourquoi t'appelait-il comme ça ?

— Il déraille un peu, il m'affirme que 112 est lié à mon destin.

— Lié à quoi, pourquoi ?

— Je sais pas Zayana, conclut-elle en s'éloignant de nouveau.

Elle entrouvrit un peu la fenêtre avec précaution, car celle-ci, n'oublions pas qu'elle possédait encore ses vitres puis retourna au lit, la conversation d'Olok et sa cousine parvint à ses oreilles.

— De toute façon Zayana, je vais être clair, je vais demander à Sam de m'épouser.

— Pardon ?

— Oui tu as bien compris, je vais la demander en mariage avec ou sans l'accord de la tribu. Otis, lui, la connaissait bien, il l'appréciait comme si c'était sa propre fille.

— Oui, libre à toi de l'épouser, mais sache que tout le village te tournera le dos à cause de cette histoire.

— Elle a risqué sa vie pour défendre des innocents. Hubert James est mort pour avoir suivi l'idéal de Sam parce qu'il y croyait et le village la considère comme une moins que rien ?

— Non j'ai pas dit ça mai...

— Mais quoi ? Le village ne vaut pas plus que Joshua et sa bande de tarés, point final. C'est déjà réglé, si je dois choisir entre la tribu et Sam, je me passerai de la tribu, j'en suis le premier désolé.

Ses yeux se fermèrent doucement avant de sombrer de nouveau dans un sommeil profond une esquisse de sourire aux coins des lèvres.

Journée après journée, Sam attendait patiemment la demande d'Olok. Elle avait enfin recouvré ses esprits et redevenait plus vivante qu'auparavant.

— Sam !

— Oui ? Qu'il y a-t-il, tu veux me demander quelque chose ?

— Bin non pourquoi ? Tu veux que je te demande quoi ? Sam visiblement déçu baissa les yeux.

— Je sais pas moi, j'ai juste mal formulé ma phrase, désolé.

— Pas de quoi, mais c'est marrant parce que je voulais te demander un truc.

— Un truc, t'appelles ça un truc ? C'est d'un romantique ça : « un truc ».

— Romantique ? Non pas vraiment, je dois dire.

— Bon c'est pas ce dont j'avais rêvé, mais je m'en contenterai.

— J'y compte bien ma chérie, je comprends pas pourquoi tu voulais que ce soit romantique, mais je pense que dans l'état actuel des choses, il s'en fout.

— Qui qui s'en fout ?

— Le rat.

— Quoi le rat ?

— Oui le rat, peux-tu vider le ragondin que j'ai chassé, on le mangera ce soir.

— Le ragondin !

— Oui un ragondin, waouh tu me fais peur Sam, tu te mets dans un état, et ça pour un ragondin.

— Bin je sais pas j'ai toujours les idées un peu embrouillées.

— Alors, arrange-toi pour les remettre en place ma chérie.

— Ah oui et pourquoi ?

— J'ai autre chose à te demander, mais c'est plus personnel et « romantique comme tu dis ».

— Oui.

— Quoi oui.

— C'est oui, la réponse est oui.

— Tu me dis oui, mais tu ne sais pas ce que je vais te demander.

— M'en fous c'est oui.

— Tu me caches des choses toi.

— Oui.

— Oui quoi.

— Oui pour ta demande et oui je te cache des choses.

— Au moins c'est clair.

— Je t'ai entendu parler avec Zayana l'autre jour et je vous ai entendu, c'est oui.

— Franchement t'es nulle, tu gâches mon effet de surprise.

Sam trépignait d'impatience et des larmes de joie coulaient le long de ses joues, mais ne put retenir ses émotions.

— Écoute, t'as trois secondes pour la poser cette putain de question.

— Oh là calme-toi ma chérie, t'as gagné.

— Oui, pardon j'écoute.

— Sam ?

Pour la première fois, ses beaux yeux noirs brillaient de mille feux.

— Oui oui, oui.

— Est-ce que tu veux m'épou...

Olok se figea sur place, Paul, mutilé de toute part, mais bel et bien vivant se tenait là derrière Olok.

— Nannnnnnn, balbutia Sam décomposée en voyant le révérend retirer la longue lame effilée du corps d'Olok.

— Bonjour Samantha.

Olok s'écroula dans les bras de Sam, Paul resta face à elle. Comment pouvait-il être encore en vie ? Sa main tranchée par Olok avait été cautérisée, sûrement au fer rouge, en revanche, l'esse qui lui avait transpercé le corps restait un mystère. Comment s'était-il décroché ?

— Mort, vous étiez mort.

— Les apparences sont trompeuses Sam.

Elle retint comme elle put le corps de son fiancé et le coucha sur le sol.

— Meurs pas mon chéri, je t'aime, je t'aime, t'as pas le droit de mourir.

Il attrapa Sam par les cheveux et la roua de coups, encore trop faible pour lutter contre lui, le révérend la traîna à demi-consciente à travers les sous-bois pendant d'interminables minutes.

Il stoppa lorsque devant lui, prêt à bondir se tenait un jeune chien léopard. Sam le reconnut immédiatement, c'était ce petit chien que Sam avait nourri lors de sa cavale. L'air menaçant et tous crocs dehors, il bondit sur le révérend, qui, handicapé d'une main ne put l'empêcher de lui sauter à la gorge, il essaya de le faire lâcher par tous les moyens jusqu'à ce qu'il réussisse à se saisir de son couteau de chasse encore maculé du sang d'Olok. À l'instant où il allait poignarder le jeune chien, Sam se releva.

— Paul.

Il inclina la tête, surpris. Le chien lâcha prise dès que Sam se fut redressé, Paul se retourna et se retrouvèrent tous deux nez à nez ; pas la Sam au visage d'ange et aux yeux brillants, celle aux yeux d'un noir si profond, au regard si vide d'expression, qu'elle pouvait effrayer quiconque la regardait droit dans les yeux. La branche morte qu'elle venait de ramasser heurta sa mâchoire avant qu'il ne puisse se servir de son couteau, faisant voler quelques dents et brisant net les maxillaires.

Il se réveilla bien plus tard. Sur le ponton où Otis et elle aimaient tant venir pêcher.

Ce ponton qui donnait sur un immense étang bordé de joncs, le ponton où Sam aimait faire une petite sieste à l'ombre du sans aucun doute le plus majestueux saule de la région qui surplombait le petit chemin de bois.

Sam y était assise, les derniers rayons du soleil réchauffaient encore un peu l'atmosphère. Machinalement, elle tirait sur une Morley et regardait la fumée onduler jusqu'au ciel, le révérend lui était pendu par le cou à la plus basse branche du saule au-dessus de l'eau, ses pieds, en équilibre sur le rebord d'une vieille barque.

— Ne vous inquiétez pas Paul, le nœud n'est pas très serré.

Il ne répondit pas et le silence qui s'instaura un bon moment devenait malsain. Sam regardait l'horizon boisé de l'autre côté de l'étang et fumait silencieusement sa cigarette puis elle reprit :

— J'ai percé le fond de la barque que j'ai rempli avec une carcasse de pélican, lorsque la barque aura coulée, vous serez pendu haut et court, mais pour vous ça ne sera pas terminé. J'ai fait ce nœud de sorte qu'il ne vous brise pas les cervicales, il vous étranglera certes un peu, mais vous n'en mourrez pas.

Il baissa les yeux et constata la véracité des dires de Sam. Elle tira une nouvelle bouffée puis continua.

— La carcasse du pélican baignera dans l'eau révérend, le sang se répandra et les alligators rappliqueront. Je ne vous fais pas de dessin révérend. Il y a une moralité dans tout ça et vous savez laquelle ? Je vais vous l'expliquer, nous devrions avoir quelques minutes avant le repas.

Sam tira de nouveau sur son clope par deux fois et balança le mégot dans l'eau. Elle observa patiemment les ondulations de l'eau puis ressortit une Morley.

— Je ne vous en propose pas Paul, c'est mauvais pour la santé il paraît. Vous savez, tout ça est de ma faute j'en suis bien consciente. Je dis de ma faute car mon tort a été de vous traiter comme un ami. Otis lui-même se méfiait de vous, à juste titre. J'étais convaincu de devoir vous aider. Vous voyez tout ce que cela a engendré ? Le chaos, mes amis sont morts pour avoir cru en moi et la moindre des choses est de leur rendre justice. Vous avez joué avec des choses contre nature, on ne joue pas avec la mort Paul, c'est elle qui joue avec vous et vous allez vous en rendre compte révérend.

Regardez, regardez la barque, vous devez sentir la corde vous brûlez la gorge maintenant, ce n'est qu'une infime douleur à comparer de ce que vous m'avez fait subir.

Elle recracha une gerbe de fumée et se releva.

— Je vais vous laisser maintenant, vous avez encore quelques minutes, je pense, pour vous repentir. Profitez-en donc pour vous demander si tout ça en valait la peine. Pensez à votre femme, à Maggy.

Elle écrasa sa cigarette et commença à s'éloigner, le révérend, lui, restait silencieux, affrontant la mort en face, digne, digne, jusqu'à son ultime souffle de vie ou inconscient de la situation.

— Et pensez à moi révérend, regardez ce que vous avez fait de moi.

Sam s'éloigna sans se retourner, elle parcourut une quinzaine de mètres quand une gigantesque gerbe d'eau se produisit aux pieds du révérend, la barque sombra laissant la place aux reptiles affamés.

Sam comprit que se fut terminé lorsque la branche du saule céda sous le poids du révérend aidé par probablement par un alligator bien attentionné.

Sam déposa un bouquet de fleurs semblable à celui qu'Olok lui avait offert sur la quatre-vingt-dix. La quatre-vingt-dix, cette route qui relia jadis Lafayette à La Nouvelle-Orléans, elle regarda une dernière fois la tombe d'Olok et empoigna son vieux sac à dos.

— Adieu mon amour.

Imprimé en Allemagne
Achevé d'imprimer en novembre 2022
Dépôt légal : novembre 2022

Pour

Le Lys Bleu Éditions
40, rue du Louvre
75001 Paris